BUENOS AIRES ME MATA

Arte y diseño: Alejandro Ros

LAURA RAMOS

BUENOS AIRES ME MATA

EDITORIAL SUDAMERICANA
BUENOS AIRES

PRIMERA EDICION
Abril de 1993

TERCERA EDICION
Marzo de 1998

IMPRESO EN LA ARGENTINA

*Queda hecho el depósito
que previene la ley 11.723.*
© *1993, Editorial Sudamericana S.A.
Humberto I 531, Buenos Aires.*

ISBN 950-07-0830-2

En la mayoría de los casos, las historias que integran este volumen son reescrituras o ampliaciones de la columna «Buenos Aires me mata» del suplemento *Sí* del diario *Clarín*. Unas pocas aparecen aquí por primera vez. Muchos de los nombres son de personas reales, pero hechos y circunstancias se adscriben sólo a las reglas de juego de la ficción.

Les estoy contando historias. Créanme.

JEANETTE WINTERSON

LA HISTORIA MÁS TRISTE

¿Querían una historia de Navidad? Aquí va. Pero les advierto que bien podrían hacer cualquier otra cosa para calentar su alma antes que leerla. Es más triste que el diablo.

El chico nació en una barriada de extramuros cuando comenzaba la década del 70. Sus papás eran de la Juventud Peronista, escuchaban una canción de Leonardo Favio que se llamaba *Fuiste mía un verano* y leían las historietas de Mafalda. Cuando él tenía dos o tres años de edad lo llevaron a Ezeiza caminando, a buscar al general Perón. Las balas le silbaban sobre la cabeza mientras cruzaba el río Reconquista sobre los hombros de su papá. Jesucristo fue a pescar/ en el río Reconquista/ y cada bagre que sacaba/ era un bagre peronista, cantaban.

No me pregunten, pero los papás desaparecieron de la escena poco tiempo después y el chico quedó en la casa de su tía. Quería hablarles de la tía Alma. Era dulce como un pajarillo, tenía una casita con jardín en la barriada de Flores y dos iguanas, tres ratas blancas (¿les gustan los animalitos?) y dos pequeñas serpientes. Además, tres perros recogidos de la calle. Alma tocaba el violonçello y escuchaba óperas en un winco destartalado, hasta que el muchacho empezó a traer discos de Sumo. Pero me estoy adelantando. Eso pasó mucho después. Cuando el niño fue a vivir con ella, Alma tenía veintiocho años. No imaginan lo linda y rolliza que era, con sus pecas, sus bucles color de fuego y unos escotados vestiditos a lunares rojos que realzaban sus delanteras de nodriza irlandesa.

Después que los papás del chico se fueran al cielo, o adonde demonios se hubieran ido, Alma tenía pánico de este mundo que se le antojaba despiadado. No salía mucho de la casita de Flores: trabajaba como profesora de música en una escuela privada. El niño tenía oído absoluto y un talento formidable para la música. La tía Alma comenzó a enseñarle composición, piano y violoncello y lo envió a estudiar a la escuela donde ella trabajaba. Allí, a los 9 años, el chico conoció a un niño delgado como una lámina, albino, el más inteligente y solitario de la escuela. Porque su nuevo amigo tenía el aire de quien lleva en la cabeza una orquesta tocando todo el tiempo, nuestro héroe lo llamaba Viejo Tigre que Duerme. El Tigre lo llamaba a él Cerebrito Sangriento (ya verán por qué). Los dos chicos dormían en la casa de uno o de otro (no conocían más mundo que sus dos hogares y la escuela) y la pasaban fenomenal.

En esas épocas, exceptuando las horrorosas pesadillas nocturnas, Cerebrito era dichoso. Las pesadillas eran terroríficas y sangrientas, y lo cercaron durante toda su infancia. Hombres que se transformaban en reptiles, mutilaciones de miembros, ojos que explotaban, animales hambrientos que devoraban niños y muchísimos muertos vivientes. Cuando Cerebrito cumplió doce, los perros de su casa ya eran siete. Si quieren que les diga la verdad, la casita de Flores apestaba a perros. El niño adoraba a los animales y la tía Alma también (seguían teniendo las iguanas y las serpientes, aunque las ratitas habían pasado a mejor vida), de modo que recogían de la calle a todos los perros que encontraban abandonados. Los perros eran petisos, rengos, tuertos, feísimos y extremadamente cariñosos. Cada Navidad Alma les despachaba una dosis de somnífero para que los estampidos de los petardos no los asustaran y cocinaba dos pollos grandes. Entonces iban a cenar todos, también la mamá del Viejo Tigre y la hermanita, y comían los pollos, papas asadas con manteca y tortas caseras durante horas, hasta que los chicos empezaban la función.

Representaban obras de terror con efectos especiales. Los efectos especiales siempre causaban problemas. Explosiones, cataratas de salsa de tomate que chorreaban por la cabeza de los invitados, vómitos a destiempo, mutilaciones que quedaban a medias, incendios, y, cierta vez, un dardo que se fue a clavar justo en la frente de la hermanita del Viejo Tigre. Esa noche todos terminaron en el hospital. A la niña le cosieron la frente con tres puntos. Cerebrito le acarició las manos todo el tiempo mientras el cirujano la cosía, y la siguió acariciando después hasta que se durmió. Ella sólo tenía nueve años y aún lo recuerda. La mamá del Viejo Tigre reprendió severamente a los dos amigos, pero Alma no dijo esta boca es mía. Ella adoraba las obras de terror de los niños.

De las obras de terror pasaron directamente a la música. Tocaban en un grupo que se llamaba Los Niños Sabios. Sólo salían de sus hogares para ir a ver recitales de Todos Tus Muertos y Deseo Fatal. La tragedia se desencadenó después de los esponsales de Alma. La tía se casó con un profesor de matemáticas de su escuela. Para Cerebrito, la boda coincidió con el regreso de las pesadillas de su infancia. Los sueños sangrientos comenzaron a envolver su adolescencia. Pero tenía a Los Niños Sabios.

A comienzos del año 90 el Viejo Tigre que Duerme se fue a vivir a España, a tocar el bajo con un grupo madrileño. Cerebrito cumplió veintiuno y echó vuelo de su casa. Fue a vivir a una pensión. Pasaba las noches en bares, embriagándose. A veces tocaba en alguna orquesta. Había tenido una vida tan feliz, le decía a la hermanita del Viejo Tigre (ella iba a visitarlo a la pensión) que no podía soportarlo. Que no podía soportar este estúpido mundo. Se pegó un tiro en la sien en la Navidad. Lo encontraron en Rosario, en un hotel de mala muerte. No me digan, porque les avisé.

EL FRENESÍ

—¡Suban a mi auto que las llevo al paraíso! —rugió un joven parado junto a un descapotable rojo como los labios de mi amiga Dolores. Era viernes o sábado, nos encontrábamos en la puerta del nuevo templo, el Club Estrella de Maldonado.

No sé si recuerdan aquellas noches calurosas del verano de mil novecientos noventa y uno. Fue cuando las manadas de ciervos jóvenes acudían a abrevar al viejo Palermo.

—¿Quién sos? —le preguntó Dolores. La noche estaba oscura como el mismísimo infierno.

—¡Soy Daniel Aráoz, nos conocimos el sábado pasado en el Eros!

Nuestro negocio, esa noche, era llegar a la discoteca Bajo Tierra, de modo que nos zambullimos en los asientos traseros del descapotable del actor de TV y encomendamos nuestras almas al cielo.

Eran tres o cuatro los muchachos que botarateaban adentro del automóvil. El tipo que conducía se veía embriagado por demás.

—Chicas, ¿adónde quieren ir? —preguntó alguien.

Antes de que pudiéramos contestar, la máquina giró velozmente sobre sí misma y atravesó la avenida Juan B. Justo de un cordón a otro. Los neumáticos chirriaron y un violento frenazo sacudió nuestros huesos. A dos centímetros del paragolpes había echado raíces un roble.

Mientras la sangre volvía lentamente a mi rostro contemplé a mi joven amiga. Estaba pálida. Las pupilas de la pequeña Dolores daban vueltas alrededor de las órbitas y sus manecillas aferraban un diminuto bolso de charol.

Los jóvenes reían y se daban codazos.

—¿Quieren un trago? —invitó el conductor.

Ahí tienen la situación: era la medianoche y nuestras gargantas ardían, pero ni por todos los santos iríamos a probar del aguardiente que había colocado a nuestros ocasionales acompañantes en tan deplorable estado.

—Vamos a Bajo Tierra, chico —soltó Dolores. El auto estacionó a los tumbos frente a un semáforo. Leímos el nombre de la calle: Migueletes. Justamente la dirección opuesta a la que queríamos ir. En cambio, estábamos muy cerca del hogar de mi amiga. Nos lanzamos una mirada y descendimos del vehículo velozmente. Los achispados jóvenes quedaron estupefactos. Creo que les hicimos un feo.

El lavabo del departamento de soltera de Dolores está poblado por tres patos rojos, dos dinosaurios amarillos y un delfín azul. Todos estos tipos son de material plástico y les garanto que obstaculizan cuanto pueden la circulación. Mientras empolvábamos nuestras mejillas Dolores puso en el pinchadiscos a Los Ratones Paranoicos. Empezamos a cotillear.

Ahora te puedo ver mejor/ en el reflejo del salón/ las

luces brillan en la piel/ mi mano busca tu calor —aullaba Juanse.

—Cuando llega el momento de embadurnar mis párpados con pasta negra me pregunto si vale ir a quemar mi noche a una discoteca —dijo mi amiga. Ella es diseñadora, trabaja en una agencia de publicidad y se viste con tailleurs de colores.

—Sólo vale porque nunca sabés qué va a pasarte —siguió—. A la hora del maquillaje y el primer trago empieza el vértigo. Y sigue hasta que a la madrugada se te ocurre mirar el reloj. Ahí te das cuenta de que son las cinco y no viviste ni una historia verdadera, o que son las seis y hay un extraño mirando el dinosaurio de tu baño. Entonces ves que la noche te consumió.

Dejamos el pequeño departamento con las luces prendidas. El mapamundi iluminado, los frascos con líquidos de colores, las estrellas fosforescentes. Todo se veía tan bello.

Tomamos un auto de alquiler rumbo a la calle Reconquista. Bajo Tierra daba escalofríos. Cuando comenzamos a deslizarnos por los húmedos pasadizos subterráneos, un grupo de muchachos se lanzó sobre nuestras espaldas. Creo que alguien tropezó y lamió mi pantorrilla derecha. Fue entonces cuando perdí a mi amiga. Corrí bajo un pasadizo, vi a unas chicas y a unos muchachos bebiendo tragos en una barra de neones y me di de narices con un túnel-trampa que escupía escombros. Mis altos tacos aguja vacilaron. Respiré hondo y me miré en el espejito de la polvera. ¿Saben qué vi por un costado del espejo? Los rostros de los tripulantes del descapotable rojo, más cebados que dos horas atrás y esta vez con un bourbon Jack Daniels para convidar. Se me detuvo el aliento.

—¡Ey, miren quién está aquí! —gritó una voz, en la que creí reconocer al conductor con varias copas más encima. Eché a correr con los tres tipos pisándome los talones. Creo que uno tropezó y se detuvieron. Salvé el pellejo milagrosamente. En la puerta me esperaba mi amiga Dolores.

Decidimos volver a Palermo. Tal vez en el Club Eros, pensamos, los acontecimientos se deslizaran más apaciblemente.

—Dejáme entrar sólo un momento. —El guitarrista de Los 7 Delfines pasó su mano por la frente perlada de sudor y masculló una maldición. Estaba en la puerta del Eros. Nos costó reconocer a Gamexane bajo esa luz de neones blancos. La cara del tipo parecía haber crecido de tamaño y había adoptado el color del marfil. El caso es que el hombre fuerte de la puerta impidió la entrada al muchacho.

En rigor, abundaba el color marfil en la bacanal del viejo Eros. Aquélla fue una noche, amigos míos, de música de Inspiral Carpets, violencia y seducción. Que me cuelguen si no fueron cerca de seis los tipos que se arrojaron sobre nuestros cuellos para clavar sus garras, mientras nos dirigíamos hacia el sector del bar con el propósito de beber un té de hierbas.

Entre los viejos parroquianos de ojos vidriosos que un par de meses atrás habían visto cambiar la fisonomía del club de su barrio con estas fiestas, entre ellos, decía, se podía ver a la guapa Fabiana Cantilo, aferrada a un gin tonic y seguida por un grupo de fans. Cerca de ella, un hombre tambaleante acariciaba los traseros de dos muchachitos. Fabi echaba juramentos por los tiempos de las Bay Biscuits.

Me encontraba yo escuchando a Fabiana cuando un joven de bucles renegridos deslizó una cadena color plata sobre mis shorts.

—Cuando estoy colocado regalo todo. Vendí miles de estos cinturones en Punta del Este y me levanté a miles de conchetas. Pero Fabi Cantilo nunca quiso tocar conmigo.

—Es del grupo Vudú —susurró una chica con voz suficientemente alta—. Me lo llevé una noche. Mata.

La tosca botella de cerveza le iba de puñetazos con el traje blanco de lino, pero allí estaba el fotógrafo Alejandro Kuropatwa bebiendo la noche muy de a poco y agonizando de calor. Champaña, su bebida favorita, lucía por su ausencia esa noche (y todas las demás) en el querido club.

—Mañana los quiero en el estudio, bañaditos, sin ojeras y maquillados para la sesión de fotos —decía.

Los músicos de Cumbiatronic sonreían.

—Bueno, pero que ella esté en la sesión, parada junto a vos, desnuda —disparó el Guasón, y clavó sus ojos oscuros en los de una muchacha que lo miraba fijamente. El chico llevaba la cabellera sobre los hombros y se había ataviado con una camisa blanca a lunares negros.

La muchacha se ruborizó.

—Estos Cumbiatronic son insoportables —susurró alguien desde la barra—. Cuando se llevan una chica dicen que es una ramera, y cuando no se la llevan dicen que es una ramera porque no transa.

Intempestivamente, el bolero *Sabor a mí* vino a teñir de rojo los cuerpos de las muchachas que giraban en la pista de baile.

La chica más linda de la noche era un chico con sus delanteras nuevas. ¿Saben cómo se llamaba? Batato Barea.

Las delanteras se las había inyectado un transformista amigo, con jeringa de la mejor calidad y a cambio de doscientos mil. Batato sintió un dolor que le atenazó el corazón durante tres días y tres noches. Durmió sentado durante una semana hasta que un buen día, en una mesa redonda sobre el nuevo teatro, cuando le llegó el turno de hablar se levantó de su asiento y alzó su suéter.

Aquel día del Eros, Batato parecía la Venus de Boticelli. Fuera de broma. Llevaba un moño en los largos cabellos y un vestido de color pastel.

—¡Te quedaron fantásticas! —exclamaron unas chicas.

—Toquen, si quieren —sonrió él. No dejó de sonreír en toda la noche. Parecía estar en éxtasis. Creo que nunca más, en realidad, Batato dejó de sonreír.

Cerca de la puerta, un joven le contaba un cuento zen a una chica. El joven era escritor. Tal vez lo hayan visto en algún programa de televisión. Ganó un premio importante, le publicaron una novela y tuvo novias a docenas. Esa noche se fue con la muchacha a quien le relató el cuento. La chica lo llevó a su hogar y lo echó dos horas después. Así decía el cuento:

«—Maestro ¿los perros participan del zen? —preguntó un discípulo.

—Guau —fue la respuesta.»

Un rato más tarde, horas más tarde, Gamexane logró entrar. Se dirigió a la barra, donde se encontraban sus amigos clavándose unas cervezas. Entre trago y trago, comenzaron a recordar un recital de Todos Tus Muertos (Gamexane fue el guitarrista de los Muertos, ya saben) ocurrido dos años atrás en una discoteca de la avenida Cabildo.

—Me acuerdo que el bardo empezó con el pogo —recordaba alguien—; un tipo se puso pesado y empezó a tirarse arriba de un rasta. El rasta aguantó hasta que terminó el tema. Después le colocó un puñetazo en la mandíbula. La gente gritaba y los empujó hacia la puerta.

—Los canas de la disco los sacaron a patadas, y los corrieron a los disparos por Cabildo —dijo otro.

Junto a ellos, el cantante de Los 7 Delfines, Richard Coleman, hablaba con una chica. Ella le estaba haciendo un reportaje para una revista de su colegio.

—¿Qué opinás de la noche y el alcohol, Coleman?

—Con el alcohol se cubren soledades.

Con el transcurrir de las horas vi a las chicas caminar cada vez más rápido de un extremo a otro del patio. Y vi a varios chicos arrojarse sobre ellas. Vi muchos torsos desnudos. Y una pelea en la puerta, cuando un joven propinó un puntapié a la mujer encargada de las cervezas. Vi unas cuantas cosas.

Ése fue un día de regusto amargo en los labios. Un joven se había suicidado. Una chica había sido internada en una clínica de rehabilitación. El chico era fotógrafo. La chica había sido lindísima. Por los '70 trabajó como modelo y murmuró «Peugeot, je t'aime» en las pantallas de televisión durante muchos meses, hasta que empezó con los sueños psicodélicos y los polvos blancos. Después trabajó como creativa publicitaria y durante años siguió envenenando su lindo cuerpo con los polvos. El resto ya lo saben.

La noche acababa. Un pibe de tez pálida volcó lentamente su vaso de whisky sobre una joven y le dijo:

—Que haya comercio entre nosotros.

La chica se fue corriendo y él entró al lavabo de

hombres. Cargaba con media botella de ginebra y sentía que el mundo cedía bajo sus pies. Adentro se encontró con Fito Páez.

—¿Nunca te pasó sentir un cuac en el cerebro, Fito? —le preguntó.

Fito lo miró a los ojos y le dijo:

—Sí, muchas veces. A todos les pasa ese cuac. Es cuando fisurás, cuando ya no podés más. Te pensás que nunca vas a poder salir, pero al final salís.

Fito se fue y el chico se quedó en el lavabo. Había problemas. Una chica encorsetada en un soutien negro y una falda plateada peleaba con su novio. Ella es cantante. A veces trabaja en los coros de Charly García. Su novio toca batería en un grupo. En ese momento el chico estaba borracho y lloraba.

—Sos una grupi. Andáte —le gritó.

Ella le estampó una cachetada y salió de escena.

Si quieren saberlo, ya eran las seis de la madrugada. Mi amiga y yo partíamos. El Eros, a esa hora, mostraba un paisaje áspero, la mueca desolada de un idiota.

Sentado en el piso, con cinco whiskies aferrados a las paredes de su cerebro como cinco escarabajos nerviosos, el joven de rostro pálido me habló de la historia de un tipo que está en una discoteca preguntándose qué hace él en un lugar como ése, hablando con una muchacha que tiene la cabeza rapada y le habla de cosas que no le interesan, mientras él piensa en encontrar a una chica que no tenga nada que ver con un lugar como ése, para decirle que quisiera estar con ella en un prado, recogiendo flores, o algo así.

EXTRAMUROS

Tal vez hayan aterrizado en una barriada de extramuros, hacia el sur de Buenos Aires, un sábado a la noche. Figúrense una ciudad de cemento y concreto en forma de monoblocks, un campo arrasado y una ciudad oculta. Tres mil jóvenes ásperos por complejo edilicio. Catorce, dieciséis años. Estudiantes, albañiles, empleados, domésticas, desocupados. Ataviados con camperas de nailon, pantalones a cuadros y zapatillas. «Cumbiatronic. Las chicas mueren por ellos», decía un cartel que había empapelado las fábricas y las estaciones de tren de la zona, desde una semana atrás, invitando a un concierto. Corría la primavera del '91. A las diez de la noche, el descampado donde se enclavaba el tablado para el recital parecía el Kremlin atestado de bolcheviques en épocas de la revolución.

A esa misma hora dos jóvenes deambulaban por la estación de tren Federico Lacroze. Tal vez los conozcan: el Guasón y H. Cuevas; el primero cargaba con una cabellera por los hombros y varias cadenas con medallones, una cazadora de cuero y dos aros en sus orejas, y el segundo con numerosos anillos, cadenas y unas botas gastadas. Los muchachos caminaban inquietos por la estación, esperando la llegada de un tercero: Frankie B. El viejo Frankie atesoraba el sampler, instrumento que con la ayuda de un radiograbador apoyaría el play back, plato fuerte de la banda. Porque, por si no lo saben, éstos eran los Cumbiatronic en persona.

Finalmente llegó Frankie B., con los anteojos más extraños que hayan visto, verde y metálicos, pantalones de cuero, musculosa con margaritas y chaleco de pana de color cielo. Y el sampler. Lo recibieron con una maldición y arriaron velas hacia el recital.

En la barriada, unos seiscientos jóvenes comenzaban a perder la paciencia ante el escenario desierto. Pasaba el tiempo y los organizadores echaban blasfemias. Dos kilómetros más allá, tres figuras se recortaban sobre el horizonte. El horizonte era la ruta y los bloques de hormigón.

—Tiene que ser acá. En el papelito dice dos mil doscientos treinta —soltó Frankie B., arrastrando sus huesos con el sampler sobre la cabeza.

—Pero estamos al doce mil. Leíste mal: esos números quieren decir veintidós treinta, la hora del recital, maldito viejo amanerado —escupió el Guasón.

Cuando ya llevaban quince minutos de caminata, una luz apareció en el camino. Eran los organizadores del concierto, que avanzaban en un Fiat 600 desvencijado.

—Si caminaban una cuadra más, cruzaban una ciudad oculta y no salían vivos —les dijeron—. Más adelante no entra ni la policía.

Con los ojos como platos, los Cumbiatronic llegaron al lugar. Pusieron una casete y empezó *El mixture de amor*. Guasón y Cuevas cantaban con dos micrófonos y la grabación de fondo. Atrás, Frankie operaba el sampler. Fanny, espera/ No te vayas, recuerda/. Recuerda esas noches/ en que tú y yo caminábamos/ por las calles de Dock Sud/. La luna blanca iluminaba/ los espacios que había entre tus escasos dientes/. Pero también iluminaba/ los cadáveres de las comadrejas/ que alguna vez habían nadado en el Riachuelo/ y que ahora sólo estaban ahí/ flotando en el agua podrida/ Te amo, Fanny / Te amo, decía la poesía del Guasón.

Abajo del escenario las muchachitas extendían sus manos hacia los músicos. El Guasón sonrió e inclinó su cuerpo hacia una de ellas. Entonces comenzaron los problemas. Una multitud se amarró a la camisa de lunares blancos y negros del muchacho y otra hizo lo propio con sus pantalones de cuero. El Guasón cayó al piso, con la mitad del cuerpo sobre el público y la mitad aún en el escenario. Su sonrisa era una mueca de pavor.

—¡Me matan, Cuevas! —aulló. Cuevas tiró el micrófono. El radiograbador seguía reproduciendo la melodía de Fanny. La cabeza del Guasón ya descendía hacia el mismo infierno.

—Cuando termine el recital corran al auto sin pensar en nada —les había advertido el organizador al comienzo.

Cuando vio los problemas Frankie fue el primero en desaparecer del escenario con el teclado, rodeado de los plomos. Pero olvidó las instrucciones recibidas: dejó el sampler en el Fiat 600 y volvió al escenario a buscar a sus compañeros. Ya no había nadie. Salió hacia la calle y allí vio venir hacia él, corriendo, al Guasón y a Cuevas, perseguidos por un aluvión de chicas. Frankie voló hacia el automóvil. El conductor dio una vuelta y se acercó a los músicos. Al cabo de unos minutos los dos muchachos irrumpieron por las puertas abiertas del Fiat. La remera de Cuevas había quedado hecha jirones, y la camisa a lunares del Guasón era una pena.

Esa noche fue tremenda para los Cumbiatronic. Especialmente para uno de ellos. El chico vivió en Madrid varios meses. Trabajó como albañil, decorador de interiores y una vez hizo de taxi boy. Conoce de madrugadas desabrigadas. Pero esa noche fue demasiado.

Pónganse en situación: de martes a sábado él duerme en el living de la casa de dos ambientes de su mamá; el resto de los días su papá abre un sillón-cama que tiene en su departamento de un ambiente y allí se despatarra el chico. Hijo único. Padres con conflictos existenciales. Y económicos. La mamá es vendedora de cosméticos y el papá profesor de teatro. Con lo que ganan los dos no podrían costear los gastos mensuales de un can parisiense de buena familia.

Así y todo, el chico estudia la carrera de Composición Musical en la universidad y busca novia desde hace bastante tiempo. Las cosas no marchan sobre ruedas, en este último aspecto. ¿Y saben por qué? Porque el tipo seduce como un búfalo. Va a las discotecas con sus amigos los jueves, los viernes y los sábados, se emborracha como una cuba y pierde el control. Las muchachas que verdaderamente conmueven su corazón le temen. Huyen de sus caricias brutales. Él se conforma con el sexo rápido y frío de las chicas que consigue en las madrugadas, cuando todo lo que importa ya está perdido.

Una semana antes de esta historia, el joven había

logrado irse de la discoteca Bajo Tierra con una linda chica. Venía tras su rastro desde hacía varios meses, y por fin, esa vez, ella había caído. Precisamente esa noche los Cumbiatronic habían dado un buen recital en la discoteca (el muchacho atribuyó al recital su éxito con la muchacha). El caso es que él se encontraba algo embriagado, pero muchísimo menos que de costumbre. Por lo demás, la chica lo invitó a su casa. Todo marchó fenomenalmente hasta el momento mismo de consumar el deseo. Entonces ella le susurró:

—Póntelo. Pónselo. ¿Querés que te lo ponga?

No sé si fue el gin tonic o qué, pero el chico no sabía de qué le hablaba ella. Cuando logró entenderlo se ofuscó (estaba sin elementos de protección) y terminó arrastrando los pies de vuelta hasta su casa. Ésa había sido la suerte de su última conquista.

La noche del concierto en extramuros, el Cumbiatronic confundió las fechas, y aunque le tocaba dormir en la casa materna, llegó al departamento de su papá a eso de las cinco de la madrugada. Con los últimos restos de fuerzas que le quedaban abrió la puerta y encendió la luz. Se escuchó un grito de mujer y la voz de su padre que tronó:

—¡Apagá!

El chico pulsó el interruptor. Una vela estaba encendida. Avanzó a tientas hasta el sector de su sofá-cama. Entre las penumbras alcanzó a ver un par de piernas de mujer. El equipo de música estaba encendido. Se escuchaba una canción de Cat Stevens. Su papá estaba haciendo un masaje zen a alguien. El chico dio un paso más y miró la cara de su papá. Entre la poblada barba del profesor de teatro podía verse que su rostro estaba enrojecido. En una mesa baja agonizaba una botella de cognac. El Cumbiatronic se despojó de la camisa rota y presintió que las dificultades de esa noche aún no habían terminado. El índice de su padre le indicaba la puerta.

CHICOS CON PROBLEMAS

Lo vi en una fiesta, en Pinamar. Recién llegaba de San Marcos Sierra. Esa noche llovía como si mil sapos juntos hubieran querido vengar todos sus infortunios. Mis amistades y yo viajamos desde Buenos Aires durante varias horas en un automóvil de color azul, patente 1969. La petaca con gin y jugo de pomelo se terminó a los veinte minutos de viaje. Cuando creímos que cancelaríamos la fiesta para detenernos en un motel a pasar la noche, encontramos un cartel que nos indicaba que estábamos llegando a Pinamar. En la verja de la mansión donde se hacía la fiesta vimos unos caracteres que decían Ibiza Party. Tomamos el sendero que conducía a la casa entre relámpagos que caían del cielo y exclamaciones de alegría. Finalmente estacionamos en el umbral; una doble fila de automóviles lujosos nos decían unas cuantas cosas acerca del Ibiza Party. Entre ellos vimos el Honda última generación totalmente destrozado de Muriéndez. Hacía pocos días había llegado de la colonia hippie de San Marcos Sierra.

De Muriéndez era de quien quería hablarles. Tendría unos veintiocho años de edad, pero conservaba esa mirada de otro mundo típica de la adolescencia. En la escuela casi todos sabían su historia. El chico había vivido con sus dos hermanos menores y su mamá en un dúplex de millonarios por la avenida Quintana. Los muchachos tenían un piso para ellos solos (su mamá no tenía llave de la puerta). Muriéndez pintó una pared de seis metros con una réplica de la tapa de Yessongs y tomaba ácido casi todos los días.

Cuando llegó el momento, Muriéndez fue a estudiar a la Escuela del Sol (sus hermanos también iban allí). La profesora de literatura lo llamaba por teléfono todas las mañanas para despertarlo. Le gustaba poder ir vestido de cualquier manera, también las clases de música y plástica y que no le prohibieran tener el pelo largo. Le molestaba un poco que no le prohibieran nada, en realidad, y una tarde se bajó los pantalones en las narices de la profesora de matemáticas. Niños ricos, ya saben. Cierta vez, una madre se quejó al director porque había visto a nuestro amigo besándose furiosamente con una chica en el patio. El director llamó a los dos jóvenes y les pidió que no se besaran en el patio. En cambio, les ofreció la biblioteca en las horas en que no estaba cerrada.

Los trips que tomaba en ese tiempo eran ácidos lisérgicos originales, que podían despachar a un tipo al planeta Saturno sin billete de retorno. Y Muriéndez casi se queda clavado en el infinito, durante un ácido totalmente místico en el que vio un animal sagrado y unas cuantas cosas más, un ácido, decía, que duró dos días y dos noches y terminó en un infarto de miocardio a los 15 años de edad. De ahí lo llaman Muriéndez.

Años después de ese episodio el muchacho viajó a Punta del Este en calidad de acompañante terapéutico de alguien. Acompañante terapéutico de un drogadicto recuperado. Podían verlo en las farmacias de Punta comprando medicamentos, envainado en un slip color rojo y con los largos huesos pegados a la piel blanca como la leche. Fumaba cannabis todo el día, en la cara se le había instalado una sonrisa eterna y, por entonces, lo único importante para él era la música.

La noche del Ibiza Party el muchacho me contó que se dedicaba a sembrar brotes de soja en la colonia naturista de San Marcos Sierra, por la provincia de Córdoba. Allá en su chacra tenía cuatro perros a los que, me dijo, adoraba. Pero detestaba la domesticación de los animales y la humanización de la raza canina, por lo que no les daba de comer.

—Para que no pierdan el instinto —me dijo.

—Pero chico, ¿qué comen? —le pregunté.

—Lo que encuentran en el campo —se entusiasmó—. Están flacos pero son muy ágiles. Se parecen a los lobos, sus antepasados.

En San Marcos Sierra hay luz eléctrica, cocina a gas natural y todo eso, pero el tipo cortó los cables y desconectó las cañerías de su casa. Se iluminaba con faroles de querosén y cocinaba en un horno a leña. Cavó una heladera en la tierra, y el día que hablamos me dijo que estaba pensando seriamente en el aprovechamiento de la energía solar, pero el asunto le resultaba un poco complicado.

—En Buenos Aires ya no quedan freaks —dijo en la fiesta. Estábamos tomando un clericó con Charly García, en el sector de la carpa climatizada.

—Todavía hay freaks en Buenos Aires —dijo García—. Spinetta es un freak. Yo también soy un freak. Y el más freak de todos es Sandro.

Luego de soltar esto, García se fue. Muriéndez miró a su alrededor y vio esta escena:

Una chica esperaba junto al guardarropas. El lavabo estaba ocupado por dos jóvenes y una muchacha. La chica que esperaba estaba sola e intentaba sacar del guardarropas su abrigo verde de peluche, pero el tipo que custodiaba los efectos personales estaba demasiado embriagado como para encontrar un abrigo de peluche verde esmeralda. Sacó camperas de cuero, un saco de terciopelo rojo, un saco amarillo. En eso, un joven de rostro cetrino y acento caribeño se arrojó sobre la muchacha.

—¡Mi amor! —le dijo— ¡Estuvimos juntos en Panamá! ¿No te acuerdas?

El rostro de la chica decía a las claras que nunca había estado en Panamá y que no conocía al joven, pero, de momento, pataleaba en sus brazos.

El panameño la apretaba contra sí y contaba a sus amigos que una madrugada él y la chica habían desayunado juntos en su avioneta, planeando sobre la capital panameña.

La puerta del lavabo se abrió y salieron los dos chicos y la muchacha, los tres muy maquillados y locuaces. Llovía a cántaros pero fueron al jardín y se treparon en la estatua más hortera entre todas las réplicas del David de Miguel Ángel que hayan visto.

—No sé si son dos o tres los que vienen allí. Veo doble —decía un hombre de unos cincuenta años de edad, vestido de elegante-sport, mientras humedecía la oreja de una muchachita.

En la carpa climatizada, un locutor intentaba sacar

chispas a su ingenio tras un micrófono inalámbrico. Los mozos estoqueaban con copas de champaña y animales calientes.

—Ya caigo: todos los conchetos se disfrazan de freaks para confundirme —bramó Muriéndez, al ver a cuatro muchachos de bíceps inflados y quemados por el sol que estaban ataviados con jeans azules, camisetas blancas y camperas de cuero.

—Carguemos la petaca de champaña y volemos al Toc Tock —dijo uno de nuestros amigos.

Salimos y en la puerta vimos a la chica que había estado esperando su abrigo. Creo que estaba embriagada.

—Son todos unos caretas —sollozó—. Tienen el cerebro roto a pedazos. Pero no lo saben. Son unos idiotas de verdad.

Cuando se largaron de allí, Muriéndez decía que todavía había freaks en Buenos Aires, o algo así. Invitó a la chica al Toc Tock. Ella llevaba su tapado de peluche verde esmeralda.

EL ÁNGEL TRIPLE 7

Sixto, Comandante de los Cielos
Estelares, vive actualmente en
Nueva York. Todos los personajes y circunstancias
que lo rodean en esta historia son ficticios.

Una rata del East Village mira fijamente a un joven de ojos amarillos, grises y verdes. La alcantarilla de la rata escupe un humo gris y espeso (todas las alcantarillas escupen un humo ensoñador en Nueva York). El East Village es uno de los barrios menos elegantes de Manhattan, pero en las calles del East mi amigo Sixto encontró un juego de living completo y dos colchones hechos jirones.

Mi amigo Sixto es argentino. Vive desde hace dos años en Nueva York, y está completamente curado de la demencia temporal que le acometió en Buenos Aires a fines del '88. Sixto va al Coffee Shop casi todas las noches. Allí, en el bar del fondo, se sienta a escribir su nuevo libro con una estilográfica de color violeta. Sixto es un artista de cuerpo espigado y ojos multicolores. Aunque les cueste creerlo, en su cabeza se libran batallas interestelares. Batallas crueles entre las naves extraterrestres de las huestes del Sol y las naves oscuras de las fuerzas satánicas. Tal vez conocieron sus pinturas de niños cósmicos, sus collages hipermodernos, sus esculturas e instalaciones de metal. Uno de sus dibujos fue tapa de un disco de Luis Alberto Spinetta. Precisamente en el Coffee Shop trabaja Sharon, la amiga de Sixto.

Sharon es una chica de color que mide dos metros de altura. Ella es la recepcionista del café del Union Square West street. El Coffee Shop tiene cuatro monitores de TV, un restaurante, una barra de bebidas alcohólicas con forma de serpiente y una barra pequeña de bebidas calientes. A las dos de la madrugada de una primavera a cuatro grados bajo cero, los express del Coffee Shop son algo así como un hogar. Los express y las decenas de hombres y mujeres parados unos junto a otros, apretados, bebiendo. Sharon tiene veintisiete años y durante el día estudia Arte en la Universidad. Es jamaiquina. Cuando llega Sixto al bar ella lo instala en una mesita alejada y le lleva una vela. El chico escribe por horas. ¿Saben cuál es la preocupación fundamental de Sharon? Su cabello.

—Mis peinados son arte —dice. Ella se viste con calzas de cuero rojas y sus peinados parecen edificios modernos, esculturas.

El que ahora está escribiendo no es el primer libro de Sixto. El primero se llamaba *Los siete universos del mago*. Lo escribió en una época turbulenta, de vértigo y cólera, que transcurrió en Buenos Aires; por las noches en la Nave Jungla y en las madrugadas en el altillo de su casa de Belgrano. Cuando terminó de escribir el libro le declararon demencia temporal. Entonces su mamá se lo llevó consigo a Nueva York.

Luego de meses de desintoxicación supo que la chifladura se la debía a un veneno que le había sido administrado de a pequeñas dosis por un agente de los extraterrestres negativos.

—Me daban veneno para ratas —me contó en Flamingo, uno de los mejores dancing neoyorquinos.

Flamingo no parece una discoteca. Parece un living. La iluminan velas blancas y luces tenues que bajan del cielo raso. La decoración consiste en unas cortinas blancas y en un par de sillones enclavados en el medio del salón. Está ubicada en el piso superior de un bar. Se escucha música de REM y algunos jóvenes bailan. Allí, en ese dancing apacible y espléndido, Sixto me contó sus desventuras.

—Querían liquidarme porque mi libro contaba recuerdos de mi existencia anterior que los ponía en evidencia. Y eso es una herida de muerte para las huestes del Mal —me dijo secretamente. ¿Me siguen? ¿No? Si quieren entender toda la historia, acérquense. Acérquense a la figura de un niñito de unos seis años de edad vestido con saco y corbata, caminando por la calle Paraguay. Buenos Aires.

El niñito es Sixto. Es rubio y callado. Camina hacia la Escuela Argentina Modelo, un estricto colegio donde pasa la mayor parte del día. El resto del día, y las noches, se suceden en el hogar de sus abuelos maternos. Él no sentía ningún temor cuando, por las noches, en la casa de su abuelo se realizaban las reuniones de los seguidores del Maestro Paramahansa Yogananda. Fue en ese piso de la calle Paraguay donde Sixto tuvo su primera visión de una entidad cósmica. El niño de seis años, acostado en su camita, vio una luz que se le antojó un ángel femenino.

A los 13 se fue a vivir con su mamá y sus dos hermanos y pasó a la Escuela del Sol. Primero probó vivir con su papá y la esposa de su papá, pero ellos tenían un hijo, y Sixto odiaba a su hermanastro. De modo que fue a parar a la casa de su mamá. Allí empezaron los sueños psicodélicos, el flower power y la cabellera por los hombros. Vivían en un duplex en la avenida Quintana: la parte superior era de los tres hermanos, con llave interna. Uno de sus hermanos pintó una pared de seis metros con el dibujo de la tapa de Yessongs. Y la puerta de entrada, con la imagen de la muerte de un disco de King Crimson. Sus hermanos tenían experiencias psíquicas, pero Sixto ya había visto el aura a su mamá y tenía experiencias cósmicas.

En segundo año dejó la Escuela. Empezó a vender sus collages, a escuchar por radio El Tren Fantasma, a ir al Café Einstein. Luego vivió dos años en Amsterdam con su chica. Allí expuso sus obras, y también expuso en París. Se hizo amigo de Charly García en Nueva York, por el 87. Pasó varias noches en el estudio Electric Lady donde García grababa *Parte de la religión*.

Y llegamos al año 1988, cuando se largó a escribir el primer libro. Los agentes satánicos comenzaron a acosarlo. Un enviado de las fuerzas oscuras lo persiguió durante meses. Y en una ocasión, mientras estaba escribiendo, sintió que las naves del mal intentaban secuestrarlo. Se le presentó una entidad de luz negra que quería ocupar su cuerpo con un ser extraterrestre, pero comenzó a meditar con sus fórmulas mágicas y el ser se retiró. Poco después se peleó con su chica, sucedió lo de la chifladura, los delirios paranoicos y el veneno. Pero logró terminar el libro, que, según creo, se llegó a editar en España.

La noche de Flamingo, Sixto creyó ver un designio de buena fortuna. En el momento en que nos íbamos del bar rumbo a la disco Rex encontró una billetera en la calle.

—Es una señal —me dijo. Entonces llegamos a la Rex. Era una disco de rockers que se quemaban con bourbon. La puerta del Rex parecía muy selectiva, aunque no entendíamos bien en qué dirección apuntaba la selección. Un joven rubio vestido con jeans y saco Valentino tuvo vedada la entrada, aunque las puertas se abrieron para un joven negro entreverado en una camiseta. Nosotros entramos sin problemas. Un caballero con traje, y los demás, se desangraban de pasión. Una barra de muchachos negros aullaba. Los dos cantantes se retorcían sobre una mesa empapados en sudor. Imposible hablar. Nos fuimos. Recorrimos varios bares del Soho y del Village. El más bello estaba en la calle Bleeker. Tenía cortinados de terciopelo rojos y amarillos, spots rojos y amarillos y alfombras persas. En el techo unos ventiladores removían el humo. Las mozas vestían con smokings y una de ellas era japonesa y tenía las cejas pintadas como Groucho Marx. Llegamos a una pizzería.

¿Saben quién fue el agente satánico que quiso envenenar a Sixto? La cocinera. La cocinera, mujer de confianza y antigua niñera de su hermanastro. Él vivía en una casita pegada a la suya, en Belgrano (las casas gemelas eran propiedad del papá). La cocinera del hermanastro solía cocinar, también, para Sixto. Los dos jóvenes se seguían detestando con la misma hiel de la infancia. ¿Captan la situación?

—La cocinera me fue dando el veneno lentamente. Día por día, para matarme —me contó en la pizzería—. Polvos blancos. Ella era una agente de los magos negros.

El nuevo libro de Sixto se llama *El Ángel Triple 7*. Trata sobre las batallas interestelares entre el Ángel Triple 7 y su hermano, el Ángel Triple 6, también llamado Monstruo Triple 6. El Monstruo Triple 6 creó el Reino del Mal, y el Triple 7 fue enviado por los Padres Cósmicos para vencerlo.

No crean que sus libros son ficción. Sixto recuerda todo esto de su existencia anterior: La tierra es un purgatorio donde se está produciendo una guerra entre las huestes del Sol (los extraterrestres positivos, que responden al Ángel Triple 7) y los extraterrestres negativos, que responden al Ángel Triple 6. Las batallas se libran en distintas dimensiones. Ambos intentan corporizar sus campos magnéticos para lograr el poder. En el año 2000, me explicó mi joven amigo, va a haber una ascensión del planeta Tierra a otra dimensión, y se va a presentar la familia cósmica: un grupo de extraterrestres que alcanzaron otra categoría espiritual en las ciencias y las artes.

Los personajes de sus dos libros (son alter ego de Sixto, del Ángel Triple 7) tienen unos nombres bellísimos, tan bellos como los de los personajes de los dibujos animados e historietas de ciencia ficción que él devoraba cuando pequeño: Artista Multicreativo, Escritor Atemporal, Niño Cósmico, Comandante de los Cielos Estelares y Mago Multimúltiplo.

En la pizzería de la avenida Séptima dos chicas engullen con la ferocidad de los soldados romanos en el fragor de una batalla. Juntas deben sumar unos doscientos kilos de peso. Una de ellas lleva una melena blanca de Barbie de plástico y muerde una porción gigante de pizza descongelada. Cada dos o tres ataques mastica un trago de un brebaje blanco que parece ser leche. Su amiga, mientras, hace la cola para comprar el ticket para una segunda vuelta. La Barbie va con una mini celeste, una especie de corset amarillo y unas botitas celestes. Es lo menos parecido a una princesa que vi nunca. Sus regordetas piernas blancas se agitan bajo la mesa con la consistencia de un yogurt. Se quita la campera de cuero. La Barbie tiene calor. Esa mañana, en el *New York Times*, se vaticinaba una temperatura de un grado.

El Ángel Triple 7 está vestido con unos Levis y una polera negra. En la pizzería hace un frío de los mil demonios. Un chico tiene un grabador y suena Insatiable, de Prince. El libro termina con el triunfo del Ángel Triple 7 sobre su malvado hermano y el fin de los magos negros de la faz de la Tierra.

EL FRENESÍ II

—Soy la primera grupi —murmuró una chica. Estaba sentada bajo una sombrilla de Un Bar, en la esquina céntrica de Pacheco de Melo y Junín. Tal vez hayan estado alguna vez en su departamento céntrico. Ella era vestuarista y a la sazón amiga de Charly García. Su living solía reunir a muchos artistas y músicos del rock.

Con los ventanales abiertos hacia la calle, con las mesas y sombrillas ocupando toda la esquina, Un Bar era una fiesta. Allí podían ver a una preciosura que alisaba la diminuta falda color salmón de su vestidito. Cuando la conocí, dos temporadas antes de esa noche, era la novia de Pipo Cipolatti y parecía tener unos 14 años. Llamémosla Piernitas. La noche de Un Bar sus carrillos se veían levemente consumidos, y con sus dieciséis temporadas y todo, la chica lucía una palidez cadavérica y unos nervios trepidantes. Se levantaba de la mesa cada vez que llegaba algún músico famoso. Su amiga había volado una hora atrás en un descapotable conducido por un guitarrista. Su amiga tiene dieciséis o diecisiete. Quizá la hayan visto en algún video: sus voluminosas cimas gemelas y sus ojos oscuros son difíciles de olvidar.

—Lo mejor de todo esto es tu pulsera de plata —le

dijo Cecilia Roth a Vitico.

—Es de identificación —rugió el muchacho, y extendió la mano que soportaba la cadena. En la pulsera se veía la inscripción: 0 RH (—).

—Ahí hay un sodomita que odio. Me sacó a mi último novio —crepitó Piernitas.

—Acá hay muchos que se odian entre sí. No te perturbes —sonrió Cecilia Roth.

No sé si recuerdan que precisamente por aquellos días se había proyectado en Buenos Aires el filme Entre tinieblas, de Pedro Almodóvar, en el que actúa Cecilia Roth. Quería decirles que aquella primavera la modernidad veneró a Cecilia Roth.

—¿Y qué hacían con Pedro Almodóvar en España, Cecilia? —preguntó alguien.

—Hacíamos performances en la disco La Rockola: streap tease, delirios. Era por el 76. Pedro trabajaba en la Telefónica y salía a filmar los fines de semana con una cámara súper 8. Éramos pobrísimos.

En ese momento entró Juanse. Piernitas sacudió su cabellera y se dirigió hacia él. El tipo fue derecho a la barra.

—Me recopan Los Ratones Paranoicos —le dijo ella—. ¿No necesitás una vestuarista?

—No —gruñó él.

La chica volvió a la mesa de Cecilia Roth, donde los directores de la revista Venus hablaban de filosofía o algo así:

—El estado de gracia es un estado de armonía donde todo fluye con tranquilidad. Se puede provocar con algunos estímulos, los amigos, la noche —decían. Cecilia agregó:

—Para mí el estado de gracia tiene que ver con una frase de Seymour Glass, el personaje de Salinger: «Yo soy como un paranoico al revés, creo que la gente conspira para hacerme feliz».

Las manecillas del reloj marcaban las tres. Sobre la avenida Santa Fe, muy cerca de allí, caminaban dos jóvenes. El tedio había empalado sus espíritus durante toda la noche, y los Illya Kuriakys & The Valderramas (de ellos se trataba) decidieron dar una pasada por Un Bar. Con ese propósito iban a doblar por Junín, cuando vieron avanzar a una figura solitaria por la vereda de enfrente. Era Fito Páez.

—¡Fito! —En cuatro saltos Dante Spinetta (14) y Emanuelle Horvilleur (15) brincaron sobre la avenida. Conocían a Fito desde niños, desde los tiempos del disco Lalalá, cuando Luis Alberto Spinetta y él grabaron juntos.

Por la época en que transcurre este relato (a comienzos de la década del '90), Fito estaba ensayando para su próximo concierto en el Gran Rex.

—Suban a cantar un tema en mi recital —los invitó.

Los Kuriakys aullaron que sí y se despidieron de Fito con un abrazo. Luego se dirigieron a Un Bar. Los esperaba, en la puerta, Piernitas.

—Nuestra música tiene carne. Violencia jabalí. Nuestras letras parecen zoológicos —le dijeron.

Los Kuriakys empezaron a los ocho y diez años con sus hermanitos en un grupo que se llamó Vómito Lacerante. Después, con los Pechugos, crearon el hit *El mono tremendo*.

—¿Cómo van a ser sus grupis? —preguntó Piernitas.

—Negras y gordas —le contestaron (creo que Piernitas se decepcionó).

La música de B-52 hacía agitar las faldas de las chicas como remolinos. Juanita, la perra salchicha de Un Bar, comenzó a girar sobre sí misma intentando morderse la cola. ¿Saben? Algunas noches de Buenos Aires parecen girar sobre sí mismas. Como Juanita, como remolinos.

LOS PRIMEROS ATENTADOS

¿Están a favor de los derechos humanos? ¿Y de los derechos de los caniches? Observen la vida de los perros de Villa Freud. Un pekinés de mirada indiferente levanta la pata sobre la mano de un niño en la placita progre de Palermo Sensible. Un mozo se inclina para servir agua mineral sin gas a un labrador que le agradece con ojos de terciopelo.

Si pasean una tarde de verano por la Placita Guadalupe, por sus bares, allí donde se cruzan Salguero, Medrano, Charcas y Mansilla, se encontrarán con ecologistas de músculos blandos envainados en joggings, con psicólogas que devoran libros de Piaget y bebidas dietéticas, con hombres de mediana edad ataviados con barba, gafas y jeans raídos, con perros pertenecientes a la clase media intelectual que dialogan con sus dueños. Las paredes de Villa Freud acuñan graffitis, porque los adolescentes de Villa Freud tienen mucho para decir. ¿Quieren saber qué escriben?: Inocentes por ahora, y Acostumbrados al dolor.

La licenciada Mirta Pelufo, 43, es psicóloga, separada y ecologista. Vive con su hijo adolescente. Y con cucarachas. No me pregunten el número, porque siempre cambia. Ella detesta los insecticidas que envenenan el aire. Sus amigas detestan a las cucarachas. Por eso recibe en el bar Sig (por Sigmund Freud, ¿me siguen?) frente a la plaza.

El hijo de la licenciada Pelufo tiene 15 años. Un chico de 15 años que batalla con cucarachas desde que tiene uso de razón. Eso sólo forma el temple de alguien. El tipo tiene una visión conspirativa del mundo y su diario es el diario de viaje de un náufrago: «Hoy maté tres. A la tarde comí cinco algas y noté que habían devorado una». (Olvidé decirles: la licenciada Pelufo es vegetariana.) Eso, más terapia de grupo desde los 9, una hora diaria de TV y papá psicólogo los domingos. En la infancia su segundo juego favorito era perpetrar atentados caseros. El primero, amaestrar cucarachas.

El chico fue alternativamente amigo y enemigo de los insectos que habitan su casa. Cuando amigo usaba los cosméticos de su mamá para jugar con ellos (con ellas). Su cosmético predilecto era un pintalabios rojo. También usaba unos polvos verdes y, cuando pasó al campo enemigo, usó tijeras. Pero el tipo de 11 años que jugaba con cucarachas pronto fue historia.

La licenciada Pelufo tiene el consultorio en el entrepiso de su casa de altos de Palermo Sensible. Algunos sábados coordina maratones guestálticas. Una vez el chico espió una maratón (el salón tiene un espejo que desde la habitación contigua permite ver sin ser visto). Todo empezó con un grupo de unas veinte personas sentadas sobre almohadones, en el piso.

—Acomodáte donde quieras, sentíte libre —le decía un hombre de barba a una recién llegada, y agregaba con una risita—: Acá todos somos un poco locos.

El chico observó a los participantes, pero sólo vio a un

ejército de mujeres que miraba con labios húmedos al tipo de barba.

—Tenés una energía muy buena en tus manos —decía el tipo a la recién llegada. Ambos estaban sentados en el piso, tomados de las manos y con los ojos cerrados. Los demás hacían lo mismo.

—Mi cuerpo es mi lenguaje —le respondió ella.

En resumidas cuentas, el chico asistió a varios juegos grupales: un rozamiento de espaldas, una confesión mutua de fantasías y un diálogo entre pantorrillas. Cuando los participantes comenzaron a frotarse contra las paredes para despedirse de ellas, el chico dejó su puesto de observación.

El hijo de la licenciada Pelufo no es muy afecto a las maratones gestálticas. Es afecto, más bien, a un grupo terrorista ecologista que perpetra atentados domésticos. Cierta vez, él y sus amigos embadurnaron con pintura roja al aceite el tapado de piel de zorro de la licenciada (la pintura roja quiso recordar la sangre de los animales). Le valió un fin de semana sin películas.

En otra oportunidad los muchachos instalaron un grabador en el consultorio de la licenciada Pelufo y grabaron una sesión entera. Se trataba de un paciente que, según decía, sentía repulsión por su mamá. Luego conectaron la parte más dramática de la grabación al mensaje de salida del contestador telefónico del consultorio: durante dos días (hasta que fueron descubiertos), cada paciente que llamaba escuchaba un fragmento de la sesión psicoanalítica. Otra vez interceptaron el contestador con un mensaje del grupo durante un fin de semana entero. «El mundo es injusto, arbitrario e imbécil —decían varias voces juveniles al unísono—. Somos como el mundo. Los Niños Sabios». ¿Y la ecología? se preguntarán ustedes. La respuesta me la susurraron ellos mismos, en una esquina de Palermo Sensible donde los encontré escribiendo un graffiti.

—Éstas son sólo idioteces. Nos estamos preparando. Somos búfalos dispuestos a atacar.

NIÑOS RICOS

Los niños ricos de Punta del Este sonríen. Tienen motivos para hacerlo. La tristeza, por allá, es una causa perdida. Lo más parecido a la tristeza es el tenue gris que cubre las palmeras o el aletear de las gaviotas, perfiladas contra el mar en los días nublados. Durante el día, Punta del Este es un gato refinado, perezoso y satisfecho de sí mismo que se mece al sol. Por las noches es una serpiente brillante que surca el mar.

Al menos así se veía la ciudad cuando transcurrieron estos sucesos. ¿Se acuerdan de un chico blanco y rollizo, de cabellera de color mandarina y gruesas gafas? Fue compañero de colegio de muchos de ustedes. En cuarto grado, en sexto, en tercero de la secundaria, algo así. Lo vi una noche infernal, durante la inauguración de Soviet, en Punta del Este. A los trece, cada vez que tropezaba y se golpeaba los huesos (siempre le pasaban cosas así), lanzaba unas carcajadas estridentes y huecas. Jugando al fútbol era una lástima. Ustedes rieron de su tartamudeo y le pusieron insectos en el bolsillo, le ataron los cordones de los zapatos para que cayera y lo apalearon para su cumpleaños. Enviaron cartas de amor apócrifas (firmadas por él) a las chicas más lindas del curso y lo engatusaron con medialunas picantes. Y no me pregunten por la conscripción, porque allí no estuve.

La noche de Soviet, Laureano llegó con su Alfa Romeo, acompañado de una chica de cabellos ensortijados y voz de flautín. El muchacho aún conservaba su pelo color mandarina y las gafas, pero la risa idiota había desaparecido.

—¿Qué es esto? ¿La Jota Tuerta, el prostíbulo de Twin Peaks? —le preguntó alguien a Cristián Delgado, decorador del lugar.

—No, es el bar del Nautilus, el submarino del Capitán Nemo. Estamos viajando a 20 mil leguas de viaje submarino —contestó el chico, envuelto en una boa de plumas que le habrán visto otras veces. Sus ojos celestes no sé si estaban decorados o qué, pero brillaban como dos faros en lo oscuro de la noche.

El prostíbulo de Punta del Este es Hiroshima, el burdel donde los niños ricos consumaron el rito de iniciación. Casi todos descubrieron algo parecido al amor en una habitación pequeña y asfixiante, abrazados a una prostituta trémula, luego de cumplir los catorce. Casi todos porque Laureano nunca pudo pasar del pasillo donde las muchachas se exhibían vestidas con bragas, soutiens y portaligas. Ustedes se reían a carcajadas del manojo de nervios que era su cuerpo y lograron que el tipo nunca bebiera de los encajes de Hiroshima.

Las paredes de Soviet eran, como las de La Jota Tuerta, de un rojo y oro aterciopelado, y el piso rojo estaba regado de monedas de plata. Las mesas eran plateadas, como los candelabros, las paredes, los techos, los pisos de los lavabos. En un rincón, un cofre con más monedas de plata, y plumas, gasas negras, piedras preciosas incrustadas en las puertas y una barra dorada con columnas de oro. En el centro del salón, un sillón de cuerina roja y una piel de tigre. Luz de velas blancas. Un neón amarillo en la puerta, sobre la calle, sobre las escaleras plateadas.

Ustedes querrán saber qué diablos hacía en Soviet el viejo Laureano. Es que su papá había perdido toda su fortuna un mes atrás y el chico, recién llegado de Norteamérica, estaba ansioso por demostrar que el revés de su padre no lo había afectado. El primogénito volvió del extranjero envuelto en billetes y masticando su odio contra los hombres (contra ustedes). Esa noche Laureano hizo todo lo que había que hacer, gastó todo lo que se podía gastar: empezó en Soviet con tres botellas de champaña, siguió en Manara, un bar de rockers que atendían dos jóvenes de mirada como cuchillo brillante y se derrumbó a las cuatro de la madrugada en El Sheik.

El Sheik estaba ubicado, también, en la Barra. Por las noches, la Barra es como el Mediterráneo tomado por filibusteros, con las pequeñas luces que suben y bajan después del puente de Maldonado. Cuando Antonio Gasalla entró a El Sheik, el vértigo se parecía más a una tragedia shakespeariana que a cualquier otra cosa. Para que entiendan sólo les diré que un joven vestido con taparrabos de piel bailaba sobre la arena, frente al fuego. Un perro diminuto y cascarrabias, que respondía al nombre de Totó, lamía su rostro. También la luna, otros jóvenes y la champaña lamían su rostro. El Sheik parecía un restaurante del desierto, un bar islámico con telas que colgaban del techo y mesas con manteles blancos.

Pero no me malinterpreten. Tragedia por las pasiones que explotaron esa velada: el amor, los celos, la codicia, el odio, la seducción. Y tragedia porque los personajes que se dieron cita en El Sheik parecían ir a su destino inevitablemente, sin poder conducir sus actos ni ninguna otra cosa.

La fiesta empezó como terminan las grandes fiestas: con los íntimos sentados en chaises-longues y tapados con mantas, sobre la arena, alrededor del fuego. Tomaban clericó y susurraban historias. La ciudad de Punta del Este acababa de descubrir a Sergio De Loof, un artista de extramuros (el joven del taparrabos) que engulló arroz integral y pan seco durante años hasta que esa temporada, con Totó bajo el brazo, se tomó un directo Remedios de Escalada-Punta del Este y aterrizó en El Sheik.

El hombre fuerte de Punta del Este llegó a medianoche. Su oficio es, ¿cómo llamarlo?, relaciones públicas.

—Ahora no es el tiempo del arte. Es el tiempo de los hombres de relaciones públicas. Si te llevan famosos te pueden levantar un lugar, y si quieren te lo hunden —barruntaba De Loof. El hombre de relaciones públicas aterrizó con algunos hombres célebres y unas lindas modelos. Tras él llegaron la actriz Noelle Balfour, la modelo Natalia Lobo, Juan Cruz Bordeu y, luego, los Soda Stereo. Los automóviles última generación que vio esa vez Totó nunca habían desfilado delante de sus pequeños ojos.

¿Apostarían a que se bailaba? Creo que se corría. Una muchacha clavó sus uñas en la cara de un hombre y Laureano arrojó al fuego a un chico vestido de chica. Vi a un joven de músculos brillantes y piel tatuada perforar una lata de cerveza y frotar los pechos de una chica con la espuma.

—¿Vas a seguir tatuándote el cuerpo? —le preguntó un actor.

—Mis tatuajes muestran lo que quiero ser —respondió él, y mostró su brazo derecho marcado con dos dragones y un fantasma. El joven se despojó de su remera y explicó que porque a veces siente mucha paz tiene tatuado un unicornio alado; porque sabe ser muy agresivo y poderoso lo marca un tigre; por seductor, la pantera; por guerrero, el tiburón. Porque aprecia la vida tiene tatuada una rosa y porque respeta la muerte tiene una calavera.

—Ahora tengo 24 años y tengo tatuados los brazos, una pierna y la espalda. Voy a morir a los treinta. Para ese entonces voy a estar íntegramente tatuado. Tengo seis años todavía.

Ya lo rodeaba un grueso grupo de jóvenes cuando, entre ellos, alguien le dijo a Laureano que su papá era un canalla. Laureano respondió arrojando un candelabro sobre la cabeza de su interlocutor.

Se dijeron muchas cosas aquella noche en El Sheik.

—A ver, Cerati, ¿no te jode posar? ¿Y Charly Alberti dónde está? —Laureano llevaba una cámara de video. Tomó a dos muchachas del brazo, las instaló junto al líder de Soda Stereo y birló una botella de champaña.

—¿Y éste quién es? —preguntó alguien.

—Un millonario —contestaron.

Laureano bebió todo el líquido que encontró y consiguió que una marca de indumentaria le obsequiara una remera. Luego se fue a la puerta de los lavabos a filmar una riña. Una chica peleaba con su novio. Llevaba botas blancas de charol y tenía su linda cara manchada. Su contrincante la había marcado con rouge rojo intenso. Cuando quiso intervenir, Laureano recibió un puñetazo en el rostro. El músico Daniel Melero casi recibe otro al intentar entrar al lavabo. Intempestivamente, entre las telas de tienda de campaña emergió la cara rubia de Alfred Olivieri, conductor de un programa televisivo para jóvenes.

—Por aquí nos encontramos con nuevos personajes en esta fiesta del Sheik... —venía diciendo. Cuando vio la situación, velozmente eludió un rasguño y condujo las cámaras hacia el salón principal, bajo las velas blancas y la música de ópera, donde los efebos envueltos en boas y perlas servían aguardiente.

Finalmente Laureano se fue a la discoteca Space, y con él se llevó el aire a peligro que lo acompaña a todos lados. La pasión, el alcohol y el desenfreno, acicateados por el chico de cabellera de color mandarina, se cobraron unas cuantas almas.

Se los suelto de una vez: Laureano es un tipo repugnante. Es un vapuleador de sangre venenosa. Esa noche derramó whisky sobre los escotes de las chicas, rompió botellas, bravuconeó con los mozos y pagó las cuentas de todos en los bares donde estuvo. El tipo consigue crisparte. La culpa la tienen ustedes, por haberle llenado los bolsillos con cucarachas cuando era niño. Malditos sean.

¿Saben qué le sucedió al papá de Laureano? ¿De veras quieren saberlo? Una noche de fines de enero, en Punta del Este, cuando Laureano aún estaba en Norteamérica acuñando billetes, su papá invitó a unos cuantos amigos a jugar una partida de póquer en su casa: su formidable casa de 600 mil dólares en San Rafael, con piscina, yacuzzi, tres mil metros de césped inglés y chalet para huéspedes. El papá de Laureano era una especie de rey de la hamburguesa y sus amigos unos empresarios del plástico, un pope del mercado inmobiliario y dos damas decrépitas con rostros de ectoplasmas y fortunas de jeques árabes.

Allá en la mansión de San Rafael, aquella aciaga noche, el rey de la hamburguesa perdió el primer millón de dólares por culpa de una escalera real y una mala suerte del demonio. Luego, para su caída, fue sólo cuestión de tiempo. El tipo pasó la noche más larga de su vida, aunque sus amigos vieron el derrumbe y propusieron parar el juego innumerables veces. Pero el vértigo pudo más que la razón. Dos horas antes del amanecer el papá de Laureano ya lo había perdido todo: su fortuna, un pent-house en Buenos Aires, su barco, un campo en Dolores y la casa de Punta del Este.

Pasadas las cinco, en el salón morisco de la casa, el aire se cortaba con un cuchillo. Los convidados habían agotado dos botellas de whisky J.B. y cinco termos de café. Algunos habían aspirado varios gramos de polvos venenosos. Nadie fumaba, excepto el anfitrión, que masticó varios habanos hasta que se levantó de la mesa.

—Quiero otra oportunidad. Vuelvo en unos minutos —dijo. Los demás se miraron de soslayo y asintieron. Todos sabían que su propósito era encontrar un prestamista en la puerta del Casino. El tipo se arrojó sobre su BMW y echó vuelo. Ya frente a la puerta del Casino de San Rafael estacionó junto a un automóvil negro de vidrios polarizados. Allí el prestamista esperaba a las almas desventuradas. Cerca de él, un anciano envuelto en trapos de lana exhibía un cartel con la leyenda: «Soy ciego y pobre. Ayúdeme». El anciano agitaba rítmicamente una lata con monedas. El sonido de la lata, créanme, les hubiera erizado la piel.

Adentro del casino las máquinas tragamonedas devoraban los ahorros de las señoras ricas. El puerto reía con su enorme dentadura de oro.

—¿Podemos conversar? —preguntó el papá de Laureano al conductor del auto negro. Lo que sucedió adentro del automóvil no lo sé, pero el rey de la hamburguesa salió de allí cinco minutos después, con un cheque en la mano y la cara regada de sudor. Creo que había vendido su alma al diablo. El cheque también lo perdió, minutos después, en el salón morisco.

Al día siguiente de la catástrofe intentó huir del prestamista. Tomó un taxi para ir al aeropuerto y en un recodo del camino lo interceptaron cinco tipos. Eran cinco hombres del prestamista.

—Si no pagás te rompemos las piernas —le dijeron.

Esa noche, en un hotelito de la Barra, intentó suicidarse con pastillas. Se bebió un Chandon con una decena de Lexotanil. Pero no murió. Vivió y pagó todas sus deudas. Se quedó con lo puesto y, según lo que se rumoreaba la noche de Soviet, Laureano le había prometido trabajo en su concesionaria de automóviles importados. Se decía, también, que se había ido a vivir a un departamento de un ambiente en la barriada de Palermo, propiedad de un ex amigo.

GONZÁLEZ

A Víctor, mi hermano,
mi viejo héroe.

—O apaga esa porquería o se retira de clase, González —crispeó el profesor de geografía fuera de sí.

Sin perder la calma, sin sacar la música de U2 que tronaba desde su pequeño grabador, González se levantó del asiento y lanzó un escupitajo en pleno rostro del profesor de geografía. La clase quedó paralizada de estupor. No quieran saber cómo quedó la cara del profesor. Limpiándose con la manga del impecable saco azul, salió despedido hacia la oficina de la directora. Una chica clavó sus ojos en González (él la amaba desesperadamente, pero ella nunca había reparado en él).

—Te invito mañana al Festival de Corazones Solidarios. Quiero hablar con vos —le dijo ella. El chico asintió mientras veía venir como una tromba al profesor de geografía acompañado de la directora.

El joven González vive en un edificio a medio derruir en la calle México, camino de Constitución. A sus diecisiete años, el chico vio unas cuantas películas de la vida real. En la fachada de los departamentos, sobre la calle, un cartel dice: «Nos sacarán muertos». Los propietarios del edificio fueron estafados por la empresa constructora cuando la obra aún no estaba terminada, años atrás. El edificio quedó sin terminar y los tipos de la constructora se esfumaron. Muchos propietarios vieron peligrar el dinero que habían invertido allí y ocuparon sus departamentos. Allí quedaron, con el edificio sin revoque, gas natural ni ascensor y un tremendo entuerto judicial. Entonces los departamentos fueron ocupados por exiliados latinoamericanos, meretrices, aves negras, un taxista de horario nocturno, una manícura y un joven dedicado al negocio de compra y venta de pasacasetes, relojes y objetos varios.

Pero volvamos a González. La mamá de González vive allí gracias a que un tipo le dejó el 4º C a principio del año 1980 a cambio de diez mil. La mamá de González es artesana. Quizás hayan visto sus lindas pulseritas de lana de colores. Las vende ella misma en la puerta del teatro San Martín, los viernes por la noche. El departamento de González en la calle México apesta a incienso, a pizza (el alimento básico de la familia) y a música de Pink Floyd. Uno de los temas obligados en las reuniones mensuales de consorcio es el volumen de la música del 4º C.

Otro tema obligado de las reuniones es el asunto de las lamparitas.

—No voy a poner plata para lamparitas en los pasillos si se las roban —suele quejarse una vecina del 5º piso.

Para llegar a una reunión de consorcio es preciso subir por una delgada escalera sin baranda, decorada con graffitis obscenos, hasta el 8º piso. El más acérrimo enemigo de la vecina del 5º (ella es abeja reina del oficio más antiguo del mundo) es el ave negra del 4º.

—Hay que poner lamparitas, sillones, plantas y un espejo en el hall —pide el abogado periódicamente. Pero los abucheos de los vecinos le impiden seguir. El tipo tiene un rostro patibulario y es un maestro en ganar tiempo judicial: firma pagarés con la mano izquierda, tacha los números de chapa de los domicilios con embargo, compra falsos testigos en los bares de Tribunales.

El chico González va a un colegio privado porque lo echaron de cuatro colegios (su papá era tan pésimo alumno como él; su papá se fue quién sabe adónde en el año 1976, cuando un camión del Ejército lo llevó de su casa; volvió un mes después pero ya no era el mismo: al tiempo viajó a Europa y el chico nunca más lo volvió a ver). Pero es un colegio de bajo costo que reúne a la flor y nata de los alumnos expulsados de todos los colegios.

Cuando él tenía doce, a eso del mediodía la mamá le dejaba tres cigarrillos sobre una mesita baja cubierta con un trapo de batik de color violeta y azul, un trapo horroroso. Para que González se desenvolviera durante el día. Y dinero para viáticos. A veces el chico encontraba salchichas en la heladerita de la kitchenette, o un trozo de pizza, obsequio de la noche anterior. Cuando cumplió quince empezó a detestar el tabaco. Ahora, a los diecisiete, requisa las carteras y los bolsillos de su mamá en busca de tabaco y estimulantes para tirárselos a la basura. (Entiéndanlo: su mamá anda por el mundo resbalando sobre planetas, usa un perfume penetrante y dulzón llamado patchouli y faldas largas y suele pegarse la cabeza contra las paredes cuando las cosas marchan mal.)

Cierta vez, no hace mucho tiempo, la mamá tuvo una contrariedad amorosa (las contrariedades amorosas son el pan de cada día de la mamá de González) que terminó en un cóctel de pastillas que casi la envía al infierno. ¿Adivinan quién la llevó al hospital y la cuidó durante los días siguientes? González escuchó su nuevo casete de Morrisey, —Your Arsenal—, mientras preparaba hamburguesas para su mamá y estudiaba geografía (más que estudiar, escribía complicados jeroglíficos y pegaba trozos de espejos rotos a un cartón, rompecabezas que le permitió en un examen glorioso copiarse el texto entero). No es tan sencillo como creen estudiar en un departamento de un ambiente (dividido en dos por una cortina de caña pintada de plateado) con una mamá hippie fumando hierbas en la cama de al lado.

Unos días antes del escupitajo al profesor llegó de Europa el papá de González. El chico lo fue a buscar al aeropuerto y lo acompañó al hotel, un edificio formidable ubicado en la avenida más ancha del mundo. El chico estaba muy contento y todo eso, pero, ¿saben?, su papá había sido trotskista, leía muchos libros, escuchaba música clásica y veía las películas de Leonardo Favio. Y tenía muchos problemas (como si el chico González no tuviera ya demasiado). La noche en que su papá llegó de Europa, González tuvo una visión. Acostado en su pequeño catre de campaña, mientras miraba las estrellitas fosforescentes que había pegado en el cielo raso, acarició un sueño maravilloso: conducir un Jaguar rojo descapotable bajo el viento de una noche de verano.

González está enamorado de una compañera de curso que tiene 17 y medio. El papá de la chica cree que su hija está cursando primer año de Medicina. Ella repitió quinto el año anterior en el Nacional Buenos Aires. De allí le dieron un puntapié en el trasero. Entonces su mamá la anotó en el colegio de bajo costo para que volviera a cursar quinto (en ese colegio nadie repite un año). Entre las dos decidieron decirle al papá que la chica se había recibido de bachiller y, luego, que rindió exitosamente el ingreso a la Facultad de Medicina. Hasta ahí la mentira funcionó bastante bien. Pero no crean que fue fácil para la muchachita sostener un embuste así día tras día. En cierto sentido, durante mucho tiempo toda su vida giró alrededor de esa mentira (tener libros de Medicina, responder a las preguntas del padre, inventar parciales, reuniones de estudio, ponerse guardapolvo, y a la inversa, ocultar todos los elementos del colegio). La chica estaba exhausta. Un buen día dejó de preocuparse por eso y empezó a preocuparse por los animales.

El día del escupitajo González salvó el pellejo por un milagro. Pero no lo echaron. Escuchó varios sermones y luego partió hacia su palacio de la calle México con el corazón ligero. Al día siguiente la chica de sus sueños iba a decirle que lo amaba, o algo así, pensó. Se quedó despierto, haciendo planes, hasta el amanecer. El sábado fue al Festival de la Avenida 9 de Julio. Tocaban Los Guarros, su banda favorita.

Bajo una lluvia tremenda, calado hasta el tuétano, González esperó a su chica por dos horas. Ella llegó mientras tocaba Spinetta, acompañada de un puñado de chicos de entre 13 y 18 años de edad. Llevaban ropas de colores y las cabezas con rapados y rodetes. La chica se acercó a González.

—Te cité por esto: Quería presentarte a Los Niños Sabios —le dijo ella.

Entiendan la decepción de González. Los Niños Sabios es un grupo terrorista-ecologista que perpetra atentados domésticos. Sus actividades son totalmente secretas y para cualquier muchacho es un honor conocerlos. Pero esa tarde el tipo esperaba otra cosa.

—No me escribas la pared/ yo sólo quiero estar entre tu piel —cantaba Spinetta. González sentía exactamente eso. Tras los músicos, en el fondo del escenario, brillaba un mapamundi iluminado de rojo.

—Estamos planeando nuestra próxima acción. Vamos a salvar la vida a unos monos. ¿Querés participar? —le preguntó la chica. Ella sonreía con la sonrisa de quien está ofreciendo una torta de chocolate.

¿Adivinan? González detesta las crueldades del planeta y lo que más desea en este mundo es una novia. Dijo que sí a todo. A medianoche celebró el rito de iniciación a Los Niños Sabios.

EL FRENESÍ III

Estas aventuras comenzaron una tarde de viernes, en un precario estudio de TV donde se estaba grabando un programa de cable para el interior del país. Se trataba de un programa ómnibus de bajo presupuesto en el que los invitados eran un taxidermista, una adiestradora de perros chihuahua, el primer oboe de la Sinfónica o la Filarmónica, la autora de un libro llamado *La hierba interior* y un anciano al que le injertaron la médula espinal. Y Fito Páez.

—Buenas tardes, amigos televidentes, aquí estamos nuevamente, hoy viernes... —El locutor llevaba una sonrisa muy bien cincelada, cuando un grito heló su dentadura.

—Corten. Hay que volver a repetir. Esto va al aire el miércoles —aulló alguien.

En el living de utilería la escritora se sacó los zapatos de taco. Hacía ya media hora que estaban todos allí, esperando para comenzar a grabar. El anciano de la médula se limpió el rostro con un pañuelo por quinta vez. En la calle no hacía mucho calor, aunque el estudio de TV parecía la caldera del infierno. Los invitados se veían extenuados y llevaban el maquillaje húmedo y corrido (la maquilladora se había ido porque no le pagaban extras). El reloj del oboe marcaba las siete de la tarde, pero allí, en la televisión, en esa caja de zapatos oscura y pegagosa, reinaba una medianoche eterna.

Fito tenía los modales exquisitos de un niño expósito recién adoptado. Pero creo que mientras asentía a las indicaciones del conductor en su cabeza sonaban canciones, poesías.

—Buenas noches, queridos televidentes, aquí les presentamos a la única adiestradora de perros chihuahua de la Argentina —La cámara giró y se estrelló contra la escritora. La autora de *La hierba interior* pegó un brinco y sonrió nerviosamente mientras sus pies tanteaban el piso en busca de sus zapatos. Hasta ese momento sus ojos habían estado fijos en el camarógrafo, un joven atlético de dos metros de altura y cabellera rapada.

—¡Corten! Ésa no es la de los chihuahua —gritó nuevamente la voz. Fuera de cámara, Fito Páez reía, sentado sobre un sillón de plástico de color mandarina.

Con el pulso golpeándole el cuello el locutor volvió a empezar:

—Buenas tardes, amigos... —Pero su voz languideció. Se había cortado la luz.

La adiestradora de chihuahuas ahogó un grito de pavor. La oscuridad era total. El locutor se esfumó. Mientras se iban acostumbrando a las penumbras, los invitados se agruparon con fruición alrededor de Fito.

El anciano parecía tener el cerebro encendido como una lamparita:

—¿Su libro habla de las malas hierbas, señora? —preguntó a la escritora.

—De las malas hierbas del alma —le contestó ella

secamente. Un instante después, la mujer le gorgojeó al camarógrafo:

—¿Hace mucho que trabaja acá?

—Hoy es mi primer día. En realidad yo soy baterista de un grupo de rock —dijo él mirando de soslayo a Fito, que dormía a pata suelta.

Al rato volvió la luz. Fito aprovechó para irse. El camarógrafo salió tras él.

—Fito, por favor, no te vayas que ahora empezamos a grabar —crepitaba el locutor. La escritora alcanzó a ver la espalda del camarógrafo perdiéndose en la puerta y resopló. Luego miró a su lado. El anciano de la médula injertada la miraba con ojos brillantes.

Nunca supe cómo volvieron a reunirse Fito y el camarógrafo, pero los vi juntos unos días más tarde, una noche que empezó en el bar Bolivia. Aún era temprano y en la cocina los siete dueños del lugar arrojaban monedas sobre la mesa y consultaban un libro sagrado: el I Ching.

—La pregunta es —decía el diseñador Sergio de Loof—: Tenemos un amor avasallante pero aquí pasan cosas demasiado fuertes. ¿Qué tenemos que hacer?

El libro sagrado les contestó:

«La solidaridad trae ventura. Indaga al oráculo una vez más. Ve si tienes elevación, duración y perseverancia. Si es así, no habrá defecto».

En el entrepiso del bar estaba instalada la peluquería de Flipside. Flip llevaba sus largos cabellos batidos y pintados de violeta. Los feligreses que ascendían hacia el entrepiso eran convidados con vino dulce y galletitas rosas con forma de sexo masculino.

—A mí me copa la ciudad, la música, la noche —decía Flip—. Trabajamos para seducir al otro, y todo lo que se hace está destinado a representar el amor que tenemos por nosotros mismos.

En ese entonces Flip era músico del grupo Capital Federal, y el suyo era ese temperamento destellante de los tipos que se forjaron a sí mismos.

—Creo que el alcohol es mejor que muchos estimulantes —me dijo.

Luego empezó a respirarse el aroma a lentejas, sonaba música de boleros y comenzó a llegar muchísima gente. Partí hacia Mediomundo Varieté, Corrientes abajo.

—Esto parece el Berlín de la preguerra —decía el periodista Tom Lupo, parado en el umbral. En el escenario el grupo femenino Las Ex desgranaba un rock crudo y sexy. Los muchachos se quemaban en las gradas. La barra estaba cercada por unos tipos de unos cuarenta años de edad, totalmente embriagados.

—Te invito a una suite del Bauen —dijo uno de ellos a una chica suave y rubia que llevaba el cabello muy corto.

—A tu amiga también —siguió.

La amiga de la chica rubia era cantante del grupo Capital Federal. Tenía unos bellísimos ojos verdes y una cicatriz que le surcaba el rostro. Creo que ambas eran amigas íntimas, porque las vi besarse con pasión.

—¿Por cuánto? —preguntó la chica rubia.

—Eso lo arreglamos después —dijo el tipo.

Las chicas se le rieron en la cara y se perdieron en el salón.

—Hay bardo por ahí —dijo el jefe de policiales de un matutino porteño—. Cayó uno.

—¿Ya murió? —pestañeó Enrique Symns, director de la revista *Cerdos & Peces*. El tipo llevaba una barba de cinco días con sus noches completas y una tranquilidad que le impedía sorprenderse por algo. Mediomundo agonizaba.

Por la avenida Pueyrredón, en el bar Cézanne, la semana anterior habían subido al escenario algunos músicos de Los Redondos: Skay en guitarra, Semilla en bajo y Sergio Dawi en saxo. Al micrófono Enrique Symns, que hizo un cover de Tom Waits con su voz aguardentosa. El bar estaba ubicado sobre el primer piso de un viejo caserón y tenía las paredes pintadas de rojo; tal vez fuera el rojo, el humo del tabaco o quién sabe qué, pero te asfixiabas allí dentro. Allí vi a Fito acompañado del camarógrafo del programa de TV. Fito fue a beber unas cervezas a la barra, cuando una joven se paró adelante y comenzó a ondular las posaderas justo sobre sus narices.

—¡Qué jeans apretados! —susurró él

—Si querés me los saco —fue la respuesta de la chica. Los jeans enfundaban a una de las cantantes de Las Ex.

—Las mujeres están todas locas —murmuró Fito, y se largó al escenario. Eran las cuatro y cuarto de la madrugada. Allá arriba tocaban Claudio Gabis y Alejandro Medina, la mitad más uno de Manal. Fito subió de un salto y largó con un viejo tema de Spinetta: Me gusta ese tajo/ que ayer conocí/ ella ya me calienta/ la quiero invitar a dormir.

El camarógrafo, envuelto en una botella de cerveza, lloraba de emoción. Con sus lindas piernas/ ella me hace pensar/ que quiero destruir/ la mierda de esta gran ciudad —seguía Fito con los Manal.

Después de *Me gusta ese tajo* tocaron *El tren de las dieciséis*. Luego, cuando Fito quiso irse y buscó al camarógrafo, no lo encontró. Se encogió de hombros y volvió a tomar un auto de alquiler.

—A Ciudad de La Paz al dos mil trescientos —dijo al conductor. Antes de irse a dormir, el joven quiso pasar por Prix D'Ami.

Desde el escenario de Prix, con su sampler, Daniel Melero tocaba temas del disco Sagrado Corazón. La barra estallaba. Juanse se magreaba en un extremo y Moro en el otro. Comenzaba a sonar *Melodías románticas*. Si no fuera por las melodías/ románticas/ juro que te olvidaría.

La pequeña María Carámbula parecía la princesa de Prix D'Ami. De su gorra de cuero negra asomaban unas tiras de pelo blanco engomado y una trencita anudada en una cinta roja. Sus labios rojos iban bien con las botas de charol que trepaban por sobre sus rodillas.

—Me interesa lo moderno —decía—. Todo lo que es nuevo: la ropa y las computadoras, los samplers y los efectos especiales de Spielberg. Para mí, Spielberg es Dios.

Fito saludó a algunos amigos y salió a la calle, en busca del último auto de alquiler de la noche. En la puerta de Prix se encontró con el camarógrafo. Al verlo el muchacho gritó:

—¡Fito, sos Gardel! ¡Hoy cambió mi vida!

Se veía totalmente borracho. ¿Saben quién lo abrazaba? La cantante de Las Ex. Los jeans se amarraban a sus posaderas más vorazmente que nunca.

HISTORIAS TRISTES

El final fue tan tremendo como si un castillo de cristal se hiciera trizas en tu mano. Y ni siquiera ése fue el final, pero cuando las madres de los chicos amenazaron con los gendarmes y las clínicas de rehabilitación, los encuentros en la casona de Zapiola y Virrey Loreto cesaron.

Fue en uno de los inviernos más crudos de fines de los '70. En esas madrugadas, a eso de las seis, María Teresa llegaba a su casa de alguna fiesta y se bajaba de las plataformas para pegar un rato los ojos, antes de calzarse con el uniforme del Sagrado Corazón. Luego caminaba unas cuadras y entraba a la farmacia. María Teresa acuñaba tantas recetas en blanco como hojas de cuadernos. Luego tomaba un colectivo, cruzaba la Plaza Libertad y subía al séptimo piso de un edificio enclavado en la calle Charcas. Por aquellos días la chica tenía unos quince o dieciséis años. Ella aún continúa con vida.

El chico había dejado el colegio, por lo cual las cosas eran algo así como 24 horas open rock and roll. Sus papás eran odontólogos, tenían un piso sobre la Plaza Libertad y él tomaba taxis, fumaba Parissiennes y compraba discos y discos de King Crimson y David Bowie.

El timbre de su casa comenzaba a sonar a las ocho y

media. María Teresa, con el uniforme del Sagrado Corazón. Después de las diez llegaban sus amigos. La casa apestaba con el aroma del alcohol de uso medicinal.

—Sólo quiero Sosegón /día y noche Sosegón —canturreaba la muchacha. Ella desabrochaba las camisas de los chicos y les subía la manga más arriba del codo.

—Sos un hada, María Teresa —le decían—. Con vos no se siente dolor.

Se quedaban escuchando música, arremolinados en el baño, hasta las doce del mediodía. Nunca eran más de cuatro o cinco. Al principio el chico tocaba saxo en un grupo de rock. Aún iban a fiestas.

La última fiesta en la que estuvieron fue el cumpleaños de un maldito. De un estudiante de Bellas Artes integrante del Frente Único Maldito. «El frente de los malditos/ bomborobomborobombonbón/ una doncella violó/ ay Van Gogh/ ay Van Gogh», comenzaba su himno. Las fiestas de los malditos eran bastante frenéticas y duraban hasta el amanecer. En el cumpleaños, pasadas las tres, María Teresa se encontró abrazada a uno de los malditos sobre el piso de un salón alfombrado. Los dos estaban desnudos; junto a ellos se veía una botella semivacía de ginebra. Entonces el novio de la chica irrumpió por la ventana, totalmente embriagado.

—Allez vous à la merde —aulló, mientras derramaba una botella entera de gin sobre María Teresa. Luego abofeteó a su novia y se llevó una de sus plataformas de madera. La chica se quedó allí toda la noche, con la mejilla ardiendo y cojeando sobre la única plataforma que le quedó. En el pasadiscos sonaba una y otra vez *Love in vain*, de los Rolling Stones.

Nunca más volvieron a fiestas. Los encuentros en el departamento de la Plaza Libertad se hicieron más frecuentes, hasta que el chico vendió el saxo que le habían obsequiado sus padres.

—Odio el arte —decía él por esos tiempos—. Odio a los pintores, a los escritores y a los músicos. Odio el ácido lisérgico. Creo que los que se drogan para hacer arte son unos mentirosos. Quiero irme verdaderamente al demonio.

Se fue verdaderamente al demonio. El día que decidió darle un puntapié al grupo de música y vendió el saxo, gastó los billetes en unas botas de Little Stone y en un saco de terciopelo negro. Los padres odontólogos descubrieron todo una mañana en que llegaron intempestivamente de viaje. Allí estaba María Teresa con la camisa de su uniforme arremangada y él y sus amigos con los brazos rojos.

El chico fue a dar con sus huesos (y con el libro *Una temporada en el infierno* de Rimbaud) a una clínica de rehabilitación. Tres meses después, cuando salió de la clínica, había llegado el verano. El muchacho estaba bastante saludable, pero María Teresa necesitaba recobrar fuerzas. De modo que se fueron a veranear a Villa Gesell. Volvieron seis días después, más delgados y pálidos que nunca. La habían pasado fenomenal.

Entretanto, la muerte se había cernido sobre el hogar de la chica. Esa semana falleció su abuela, y dejó en herencia una construcción estilo inglés de dos pisos ubicada en la intersección de las calles Zapiola y Virrey Loreto.

La casa de Zapiola fue la nueva guarida. Allí conocieron a Diego. Los malditos nunca pisaron esa casa. Allí no había música, pintura ni ninguna otra cosa. Sólo cajas vacías de medicamentos. Allí todo era 24 horas open rock and roll, sin luz eléctrica, muebles ni comida. Pero tenían velas, y quién quería comida. Una cocina desierta en la planta baja y habitaciones vacías en el primer piso. En algún lugar, una cama y un baño.

Pronto los días y las noches comenzaron a dejar de diferenciarse. La casa siempre estaba en penumbras. Los chicos y las chicas se sentaban en el piso o se acostaban en la cama. El tiempo no contaba. El chico se fue al cielo meses después, o tal vez días después. Echó vuelo desde la casa de Zapiola por abuso de Sosegón. Al tiempo su vieja banda se hizo famosa. Todos los visitantes de Zapiola terminaron en clínicas de rehabilitación o cautivos en sus casas familiares. María Teresa no murió, pero su nombre se borró para siempre de esta parte del planeta.

Diego comenzó su descenso a los infiernos un buen día en que dejó su piso ubicado en el norte de la ciudad y su piano y los buenos quesos a la hora de la cena (tal vez comenzó antes). El chico se largó con sus discos, un cuadro renacentista y una lámpara déco. Arrojó por la borda el próspero trabajo en la agencia de viajes y se instaló en una casa destruida, en la calle Camarones. Tenía 20 años, medía un metro noventa de altura y usaba unos pantalones rojos. El pelo rubio-anaranjado le llegaba a los hombros, tocaba ritmos salvajes en una batería Caf infernal e incómoda y leía libros de Henry Miller a la hora del desayuno.

Tal vez fuera la hierba que hormigueaba en su cerebro todo el tiempo. Caminaba como si giraran estrellitas alrededor de su cabeza.

—La libertad es libre —le escucharon decir un día, en Plaza Francia, cuando intentaba procurar cannabis.

El día que se mudó a la casa destruida de La Paternal a vivir con su novia, invitó a los vecinos de la calle Camarones a brindar con champaña, y al sábado siguiente, en un baile de carnaval, arrastró a un vals a una vecina sonriente y regordeta, una señora con muchos problemas y mucho corazón, que trabajaba cosiendo vestidos por encargo. Ella lo adoró, figúrense. El barrio también. Al día siguiente se sacó la camisa blanca y trabajó de picapedrero para la Municipalidad. También acarreó fierros y maderas para los recolectores de la calle Artigas. Si quieren saber de él, pregunten por la barriada de La Paternal. Los vecinos lo vieron caminar descalzo por la calle Bolivia, y algunos estuvieron presentes el día en que partió una botella contra el asfalto, con los ojos incendiados de un verde colérico, cuando alguien quiso birlarle a su chica (se enamoraba hasta los tuétanos).

Empezó con el sosegón en la casa de Zapiola y Virrey Loreto. Seguía viviendo en Camarones, pero había dejado de descargar y cargar fierros viejos. Vendía libros usados en Corrientes y rescataba alimentos de la copiosa despensa familiar. Cuando levantó vuelo de La Paternal, porque le dijo a su chica stop, había dejado de ir a cambiar discos a Parque Rivadavia y de filmar películas en Martínez. El chico se fue con el alma destrozada y no quiso llevarse los discos ni la lámpara déco. Se suicidó esa primavera, un sábado a la noche. Derrumbó sus pobres huesos por el hueco de un ascensor.

LA GRAN MARCOVA

LA GIALLA MAZURKA

—¡Viva Franco! —gritó un joven en la puerta de New York City, cuando el concierto de Os resentidos y Siniestro Total. El tipo tenía el brazo magullado por un golpe y estaba verdaderamente furioso. Lo rodeaban centenares de chicas y chicos que blandían sus entradas en las manos. Habían llegado allí para escuchar a los grupos españoles, pero los duros hombres de seguridad de New York City no dejaban entrar a nadie más.

—¿Cómo viva Franco? —le preguntó una muchacha.

—Estos gallegos hijos de puta son unos franquistas —fue la respuesta.

Aquello era un infierno. Dos de los tipos de la puerta sacaron de adentro del salón a un pinchadiscos de cabellos batidos (lo llevaban amarrado de la cabellera) y lo tiraron a la calle. En la vereda, los muchachos arrojaban ladrillos, latas de cerveza y cigarrillos encendidos en el rostro de los porteros. Era una batalla cruel. El final de la partida lo definió la policía. Los agentes de la ley llegaron en tres patrulleros que aullaban como niños heridos.

Adentro de la discoteca podía verse a los músicos españoles ataviados con unas remeras que decían: «Ante todo, mucha calma». Desde la pista de New York City, bajo el escenario, llovían botellas de cerveza que iban a impactar en los cuerpos de los músicos. Esa noche primaveral del '90, en la barriada de Núñez, Buenos Aires estallaba de ira.

—Gallegos del carajo. Vamos a Bolivia —dijo La Gran Marcova. La Marcova y sus amigos se distribuyeron en dos autos de alquiler y aterrizaron media hora después en San Telmo.

—Hola. Yo soy Bobby. Soy un freak. Detesto el amor. Voy contra el amor —dijo a los recién llegados, en la puerta de Bolivia, un jovencito con labios pintados de rojo y una medalla de la Virgen María agujereando su oreja. El chico llevaba una remera de rayas blancas y negras y unas calzas negras con pintas blancas. En su mano tenía dibujada una flor.

Tras la barra, la cocina apestaba a tufillo de recién bañado y a pizza de cebollas. Allí estaba, con el pelo mojado, Batato Barea cocinando pizzas. Alguien invitaba a todos a ir a Cemento a ver a La Mona Giménez.

—La Mona Giménez es una mierda. Me tomé un ácido, me fumé un porro y estoy borracho. Yo no voy —dijo Bobby, y corrió a subir el sonido de la música. El trío Los Panchos gorgojeaba *Sabor a mí*.

—¿Por qué no me enamoro? ¿Te gusta esta sombra verde para los ojos? —preguntaba Batato a La Gran Marcova.

Allí llegaban los músicos de Capital Federal, el grupo punk que unos días antes había tocado en la fiesta Por la felicidad de Maxi («Fiesta por la felicidad de Maximiliano Monzón», se llamaba en verdad). Tipos duros los de Capital Federal. La chica tenía una cicatriz en su mejilla sonrosada, obsequio de una riña. El chico usaba una campera psicodélica.

—¿Puedo ir a dormir a tu casa? —Bobby se derrumbó sobre un joven rubio vestido con chaqueta militar.

—Salí, pescado.

Era la medianoche. Los muchachos que venían de New York City se fueron a comer al restaurante La Emiliana.

Apenas llegaron, La Gran Marcova arrojó sobre una silla sus noventa kilos de buenos músculos y sin quitarse las gafas oscuras nos contó su historia. Ustedes querrán saber quién es La Gran Marcova. En la barriada de San Miguel tal vez oigan a alguien decirle Marcos. Trabaja en una fábrica, durante el día. Pero desde el anochecer pueden verlo en cenas y recepciones con sus amigos millonarios, cineastas, publicitarios, escritores.

La mesa donde se sentaron nuestros amigos se hallaba muy cerca de las dobles puertas de madera de acceso al restaurante.

—Estoy cansada de ser la condesa Marcova. Quiero ser una mujer de pueblo, una argentina más. Llámenme Mary —botarateó.

Inesperadamente se produjo un bullicio en la recepción.

—¡Es Silvio! —chilló Marcova—. Está divino con esa peluca anaranjada.

Silvio Soldán venía acompañado de una señora rubia con filosas delanteras. Cuando pasó junto a nosotros, el hombre célebre inclinó la cerviz. La Marcova saludó mientras barruntaba:

—¿Me habrá saludado a mí?

Detrás de Silvio Soldán entraba un regimiento de personajes de la televisión.

—Lenin diría: socialicemos el brillo —dijo La Marcova.

Y alguien apuntó:

—Marcova, vos sos la amante frívola de Lenin. Tenés que decir: monopolicemos el brillo.

—No, no —contestó la condesa—. Yo no soy la amante de Lenin. Yo soy la amante del Partido.

Luego de cenar copiosamente la comitiva encaminó sus pasos hacia Karim.

Tal vez ustedes conozcan Karim. Esa noche vi un bello living dorado donde bailaban gauchos y unas colegialas. En los sillones del living se despatarraban grupos de muchachas envainadas en corsets de colores y bragas brillantes, y en la barra caballeros de mirada húmeda devoraban tragos de whisky y firmaban tarjetas de crédito.

—Aquí llegó Rita —dijo La Marcova.

—Tengo muchas cosas para contarles —dijo Rita, una pelirroja que tenía cara de haber visto unas cuantas cosas—. Los que vienen acá están todos pirados.

En el escenario las colegialas mostraban el trasero y alguien cantaba un tango.

—Ayer vino una pareja —contó Rita—. Me llevaron a un departamento para hacerlo los tres. Después la mujer se puso loca y me echó. Y el otro día un cliente vino a mi casa y como yo no podía atenderlo casi me tira abajo la puerta. ¿No ven que están todos pirados?

—Por ahí el tipo se enamoró —dijo Marcova—. No puede ser que no tengas sensibilidad. ¿Qué hay debajo de esa piel?

—Plástico —contestó ella.

No pudimos hablar más con Rita, porque había llegado uno de sus clientes. Una muchacha de unos bellísimos ojos azules que tendría unos veinte años se acercó a pedirnos fuego. Después se sentó sola en un silloncito próximo. Se la llevó un tipo repugnante momentos más tarde.

Ya eran las cuatro.

—Yo no aguantaría trabajar acá todas las noches —resopló La Gran Marcova un rato después, ya en la calle. La condesa aún llevaba las gafas oscuras.

LOS BANG BANG

LOS BANG BANG

Los días que no van al colegio, los hermanos Bang Bang se llegan al zoo, a visitar al chimpancé Martín. Martín es el tipo más inteligente del zoo, y uno de los más tristes. Su hogar es una jaula con barrotes que mide unos cinco metros cuadrados. Los Bang Bang son huérfanos y viven con su tío en una especie de conventillo del Viejo Palermo.

Deberían ver a Martín cuando los Bang Bang se acercan a su jaula: Salta, aplaude y extiende una mano. Los muchachos trepan por la valla y le obsequian maní. ¿Saben cuándo ve el sol Martín? Nunca. No llega el sol a su jaula. De todas maneras, por entre los milímetros que deja libre el tupido tejido de alambre que rodea su celda no entraría ni un rayo de sol (ni un maní; en rigor, los jovencitos se lo pasan por una abertura secreta).

Una mañana, mientras los Bang Bang esperaban que el lugar se despejara de público para saltar la valla, un niñito de unos tres o cuatro años sollozó:

—Quiere salir. El mono quiere salir.

Un Bang Bang apretó los dientes y le dijo:

—Si un día te secuestraran y te llevaran al África, y te encerraran en una jaula, sin tu mamá ni tus hermanos ni nadie, vos también querrías salir.

El niñito cerró los ojos y se largó a llorar. La mamá comenzó a lanzar imprecaciones contra la crueldad humana y los muchachotes que hacen llorar a los más pequeños. Los amigos decidieron alejarse mientras pasaba la tormenta. Fueron a la jaula del león (el león es el tipo más triste del zoo; su jaula es más chica y lúgubre que la del chimpancé) y luego volvieron al hogar de Martín.

—Tené paciencia —le susurraron—. Falta poco.

Luego fueron a trabajar. El tío de los Bang Bang trabaja en una empresa de pompas fúnebres. Los Bang Bang son adversarios de los jardines de infantes y de los dibujos de Meteoro y aliados de Attaque 77 y de las películas de terror clase B. El tío los colocó en la funeraria desde pequeños, por lo que para ellos el perfume a formol es como el aroma a torta de manzana para los niños con mamá. Desde chiquitos jugaban a las escondidas entre los ataúdes, y desde chiquitos aprendieron a usar el formol y otros elementos químicos en las técnicas de embalsamamiento.

Su tío es el rey de los velorios, director funeral diplomado, una especie de filósofo del género y un innovador en las pompas fúnebres. Una vez fue a un congreso de administradores de camposantos vestido de gaucho, y para promocionar su empresa viajó desde Retiro hasta Tigre en tren, metido dentro de un ataúd. Los hermanos Bang Bang crecieron entre banderas patrias, afiches del Papa, inscripciones que rezaban «Las Malvinas son argentinas», fotos de Eva Perón, cuadros de cuero con motivos gauchescos e imágenes de la Virgen. El frente de la funeraria tiene inscritos poemas de Gustavo Adolfo Bécquer y los nombres de los empleados.

—Nuestro trabajo es hermoso —dicen los huérfanos.

El día de la trifulca en el zoo los Bang Bang fueron hacia el puerto. Allí, en un barco francés, bajo un frío del demonio, tocaban los Man Ray.

—Estoy enamorado de Hilda Lizarazu —dijo un Bang Bang. Hilda cantó *Señal que te he perdido,* de Calamaro.

Cuando el concierto terminaba los dos muchachos corrieron al dique 4 de Puerto Madero. Allí los esperaba un grupo de unas ocho chicas y chicos. A medianoche, con tres grados de temperatura, los Bang Bang celebraron su ceremonia de iniciación a Los Niños Sabios. Al día siguiente faltaron a la funeraria, presa de una gripe atroz.

LA CHICA MALA

¿Saben qué tiene ella de buena chica? Nada. La suya es la historia de alguien que lucha denodadamente arrastrada por su ambición. En el invierno del 92, a los 23 años, estaba en la cúspide del poder. Era una chica bastante atractiva, si tienen en cuenta que sus vestidos extravagantes eran lo mismo que una bofetada y que en sus ojos parecía estar incrustada una película de terror. Ella se ocupaba de las relaciones públicas, la prensa y el vestuario de uno de los grupos de rock más taquilleros de la Argentina. Pero no tenía un solo amigo de verdad. Le había roto el corazón a su último novio y después, en Punta del Este, le birló el chico a su mejor amiga. Pero antes de seguir deben saber cómo se germinó la semilla de la chica mala.

Ella se crió en un hogar verdadero hasta los 13, bajo los apacibles árboles de una barriada de Rosario. Su mamá le preparaba tartas de ciruela y le cantaba canciones francesas (*La vie en rose* era su favorita). Juntas leyeron *Los tres mosqueteros*, *David Cooperfield* y las aventuras de Claudine. Fue su mamá quien le enseñó a escuchar a Los Beatles y a vestirse de modo extravagante. Las tardes de domingo, en el hogar de Rosario, jugaban con disfraces no muy diferentes de los disfraces con

117

que pueden ver en las discotecas a la chica hoy.

A los 13 su mamá se fue al otro mundo. La niña se fue a vivir con su madrastra y su papá. La casa era bastante grande, con dos livings, biblioteca, jardín de invierno, piscina y varios dormitorios. La chica fue enviada al departamentito de huéspedes, hacia el fondo del jardín umbrío, a unos veinte metros de la casa. ¿Alguna vez tuvieron miedo, a los 13 años de edad?

El miedo se le fue después de cuatro o cinco meses de pasar las madrugadas con las lágrimas congeladas en sus mejillas y el corazón saltándole del pecho, aferrada a un chanchito de peluche, allá en el cuarto del jardín. En cuanto a la tarta de ciruela, nunca más volvió a comerla. Su equipo de música se rompió y no quisieron comprarle uno nuevo. Tampoco le prestaron el que dormía a pata suelta en la biblioteca. Sólo se disfrazaba cuando estaba sola, encerrada en su cuarto (la mayoría del tiempo, en realidad).

A un año de vivir con su madrastra y su papá se había convertido en una persona casi invisible. No la maltrataban mucho. Simplemente nadie reparaba en ella. Dejó de ir al colegio privado en el que estaba inscrita porque su papá se olvidó de seguir pagando. Siguió en uno público cerca de su nueva casa. También dejó expresión corporal e inglés (por la misma razón). Sus amigas no la llamaron más por teléfono, porque en la casa paterna pocas veces alguien estaba dispuesto a cruzar el jardín para ir a avisarle que le telefoneaban. La única amiga que le quedó fue su gatita Lulú.

Después empezaron a desaparecer sus cosas. El corazón de plata que le había regalado su abuelita. Un anillo de oro y también su sweater favorito, uno rojo con trencitos bordados. Cuando se esfumó su gatita, las cosas comenzaron a cambiar. Hasta ese momento había aceptado su destino con la resignación de las heroínas románticas. El día que Lulú desapareció de la escena el cerebro de la chica hizo cuac. Esperó a la noche y entró al comedor por una ventana (ella no tenía llave de la casa: le abría la doméstica), rompió todas las copas y los platos de su madrastra y dejó sobre la mesa, a modo de rúbrica, una trampa para ratones. Entonces se desató la guerra.

Apedreó los vidrios del living una noche de sábado, cuando había invitados en la casa; desgarró los manteles y las toallas; colocó bombas de olor en la suite de los dueños de casa; tejió complicadas intrigas entre la cocinera y la mucama, hasta que ambas se mandaron mudar; rellenó con sobras de comida los panes de espinaca de su madrastra; rompió todos sus frascos de perfume; le escribió anónimos terroríficos. Al cabo de un mes de batallas (no alcanzó a vivir allí un año y medio), la niña fue enviada pupila a un colegio. De ese colegio la expulsaron, y del siguiente también. Peregrinó por un par más hasta cumplir los 19. Entonces su padre le alquiló un departamento en Buenos Aires, le compró un Fiat Uno negro y le asignó una mensualidad.

—Pero no quiero saber más de vos —le dijo.

Ella cumplió puntualmente su pedido.

Vean cómo se concatenaron los hechos. Comenzó la carrera de la mano de un novio moderno (llamémosle Novio 1) que le habló del nuevo pop, la llevó al bar en boga y le tiñó el pelo de rojo. Ella aprendió velozmente y tardó no más de cinco meses en convertirse en camarera del bar Bolivia, pulverizar a su chico, calzarse las plataformas y comenzar a forjarse un nombre. Corría el año 1989.

Ese invierno podían verla todas las noches en las discotecas donde había que estar. Su objetivo era conocer a la mayor cantidad de personas posible. Y teñirse el pelo de todos los colores que imaginen, disfrazarse con las medias más extravagantes y probar unos cuantos venenos. ¿Los chicos? ¿Las chicas? Ya verán.

Uno de sus primeros pasos fue entablar amistad con un productor de rock. ¿Saben cuál es el principal talento de la chica mala? Acercarse a quienes tienen poder y hacerse imprescindible. Comenzó por hacerse novia del productor (Novio 2). Luego que el fuego se apagó, quedaron amigos. Entonces empezó a presentarle chicas; iba a buscarlo a su oficina en el Fiat Uno, lo llevaba a las mejores discotecas y le procuró una conexión con una marca de cigarrillos que terminó auspiciando una serie de conciertos. Poco después, las tres personas que trabajaban con su nuevo amigo organizando los shows volaron por el aire. Desde entonces podían ver a la muchacha comandando cada concierto. ¿Creen que con esto se granjeó tres nuevos enemigos? Se equivocan. Ganó muchísimos más, contando a iluminadores, cadetes, músicos y admiradores que maltrató mientras duró la fiesta. Pero el productor se enamoró de una joven que odiaba a la chica mala y la fiesta duró poco.

Por ese entonces entró en escena Novio 3, un muchacho que trabajaba en relaciones públicas de una marca de indumentaria. Ella comenzó a trabajar con él. Pero al chico no sólo le gustaban las relaciones públicas. También le gustaban los chicos. Y como a ella también, empezaron a jugar de a tres. En las fiestas (siempre estaban invitados a fiestas) se embriagaban y se encerraban en los lavabos con algún chico. Un par de veces, ella se encerró con una chica. Pero nunca era más que eso: un amor descartable, una pasión de discoteca que terminaba cada amanecer. Así pasaron cuatro meses de desenfreno. Al quinto mes la chica se quedó con su puesto y Novio 3 fue cadáver. ¿Me siguen? Por el año 1991 ya era la mano derecha del líder de la banda de rock y sus enemigos se contaban por cientos. Pero le quedaba su amiga Cocó.

En el otoño del 92 la vi en el homenaje a Batato Barea, en el teatro Lara. Fue con su amiga Cocó. La corta cabellera aún estaba pintada de rojo y llevaba plataformas rojas, unas lindas medias de red verdes y guantes verdes de cuero. Se instaló ruidosamente en el sector del sonido, cerca de la entrada. Pónganse en situación: en la pantalla Batato, envuelto en una bata, desde su buhardilla de costurerita parisiense del siglo XIX y hablando con una voz ronca y suave, era la inocencia misma empalada de fango y perversión. Una tertulia conmovida —la flor y nata del arte y varieté, la Noy, Tortonese, Urdapilleta, hagan cuentas— contemplaba la pantalla. Se escuchaban risas tenues y lágrimas masticadas sigilosamente (allá desde el cielo ¿me creen? Batato sonreía).

—Llegó el travesti —dijo alguien cuando la vio.

Sus formidables bíceps de muchacho se endurecieron al escuchar esto, pero la chica mala tiene la sangre helada, y calló.

—La odio —susurró una diseñadora de moda—. El otro día, en Mix, casi me mata porque me apreté a su ex chico.

—La odio. Y conozco a veinte que la quieren colgar —decía la misma chica a su amigo el Bahiano, unas noches después, en la disco Roxy. La chica mala estaba sentada cerca de Charly García, en el salón VIP (su objetivo, esa noche, no era García sino un reportero de la TV. Pues el mismo objetivo tenía la linda diseñadora de moda).

En el escenario del Roxy marchaban Cerati, Fabi Cantilo, Los Ratones Paranoicos. Poco antes Charly había cantado unos temas de los Stones.

—Te conseguí Chandon —le dijo la chica mala al reportero—. ¿Qué hacés después?

El tipo la miró y se zambulló en una copa de champaña. La diseñadora rondaba cerca. No era fácil la situación de nuestra heroína. Por momentos, a su alrededor se producía un vacío tremendo. Un músico célebre le dejó el saludo colgado en el aire y hubo alguien que la insultó. Pero ella no se veía triste por ello. Los tiempos difíciles la fortalecen. Ésa es su ley. Además, siempre tenía a su fiel amiga Cocó. ¿Saben a quién se llevó esa noche? Fue ella quien se alzó con el reportero en el Fiat Uno esa madrugada bizarra.

Volví a verla la noche del concierto de Los Brujos en El Ángel, unos días más tarde. Ella había peinado y pintado la cabellera de uno de los músicos y estuvo la mayor parte del tiempo en camarines, pero se mezcló entre el público cuando Cerati y Melero salieron a tocar. El de Los Brujos fue un show siniestro y maravilloso, con los tipos metamorfoseados en esqueletos y la música deforme tronando por detrás. La chica mala parecía feliz (el peinado del músico se veía muy bien, de veras). Esa noche nadie le hizo un feo. Tal vez fue el traje de baño color amarillo (hacía un frío de los mil demonios, pero sus músculos de hierro lo soportan todo).

Vi muchos ojos brillar de alegría la noche en que no la dejaron entrar al Roxy, un par de semanas después. La puerta del lugar era lo mismo que el infierno.

—Él es Gustavo Cerati, ¿no entendés? —le decía una chica al hombre de la puerta, mientras cien tipos hacían presión por sobre sus hombros para entrar.

Un apuesto señor intentaba mantener la compostura entre las cuarenta y cinco personas que hacían remolinos con su cuerpo. No saben lo famoso que es como empresario de una importante agencia de modelos. Muy cerca de él, la modelo Delfina Frers intentaba eludir a los jóvenes entusiastas que se arrojaban sobre ella.

—Adentro no es más fácil —dijo el músico Fabián Quintiero al salir. Eran las tres de la madrugada y el frío comenzaba a apretar los huesos. En ese momento se desencadenó un escándalo en la puerta.

—Yo voy a entrar porque trabajé en las relaciones públicas de esto —gritaba una chica al hombre-puerta. Ella llevaba sus cabellos cortos pintados de blanco y unas calzas marrones adheridas a sus piernas. Muchos de ustedes la conocen. Muchos de ustedes integran el Club de Enemigos de la Chica Mala.

—Ahí está el travesti tratando de entrar —dijo alguien. Ella escuchó y giró su cuerpo. El que había hablado es un videasta, un joven que la detesta.

—¿Problemas? —le soltó ella. Figúrense, los brazos del pequeño videasta podrían caber dos veces en los músculos de nuestra chica. Pero sepan qué clase de intriga se tejía entre ellos desde mucho atrás. Él había trabajado como mozo en Bolivia. Fue él quien ayudó a la chica mala en sus comienzos, cuando ella sólo era la chica de extramuros que quería triunfar. Le enseñó el oficio de camarera, le presentó a su amiga Cocó y se convirtió en su confidente.

—Me mordió la mano —crispó él, la noche del Roxy.

Volvamos. La chica se fue de Bolivia de mala manera, cuando reemplazó a Novio 3 en la empresa de indumentaria. A su amigo ni lo saludó.

Así las cosas, llegamos al invierno del 92. Ella ya era la mujer fuerte de un importantísimo grupo de rock. Los acontecimientos se precipitaron en Punta del Este. Para el 9 de Julio viajó a Uruguay con el novio de su amiga Cocó. Durmieron juntos una noche de frenesí y ya no se separaron (Novio 4). Alquilaron una suite en un hotel con uno de los músicos del grupo de rock (su novia lo había abandonado: Novio 5). La última noche los tres recorrieron todas las pizzerías y los bares. Rompieron decenas de copas, se pelearon con los mozos y la muchacha tuvo que arrancar a Novio 5 varias veces de los brazos de chicas. Fueron a desayunar a El Greco a las siete de la mañana.

—Fue una noche excelente —dijo Novio 5.

—Extraño a Cocó —dijo Novio 4. La chica apretó los dientes.

A eso de las ocho y media la chica mala pagó los desayunos y salió de la confitería. El avión partía a las diez. La chica corrió a saldar las cuentas del hotel (olvidé decirles: la chica mala siempre paga los gastos de sus novios). Entró al bar a recoger a sus dos chicos para llevarlos al aeropuerto y mascullo: «Apenas llegue a Buenos Aires le mando un anónimo a Cocó». En eso sintió un estremecimiento que le atenazó el alma. «Qué raro», pensó. «Estará haciendo frío».

EL FRENESÍ IV

EL PRINCIPE

Una noche de Carnaval hubo redada en la ciudad. La máquina azul de la policía devoraba el asfalto, Nicaragua abajo, cuando un grupo de alegres jóvenes entró en la Nave Jungla. Venían de festejo con Fabiana Cantilo, los hermanos Moura y otros músicos, y pensaron que les calzaría de maravillas el rock'n roll de Los Doors y la compañía de los hombres de un metro veinte de altura portando antorchas. Antes de ingresar, dos jóvenes cruzaron la acera y se dispusieron a aligerar sus riñones sobre un árbol, cuando el automóvil policial chirrió sus neumáticos y se clavó frente a ellos.

—Señores, qué falta de respeto. Arriba, vamos, suban al patrullero —dijo el oficial.

—Agente, usted está en una confusión —farfullaron los muchachos. Pero hablaban a un traje vacío. El oficial los mandó de inmediato tras las rejas.

En el Parakultural, para el Carnaval del '89, ya no se disparaba un solo tiro. Hacía mucho que el último punk había dejado ir su furor por un retrete con sabor a pasiones equívocas, y en la época de mi relato apestaban los turistas de capa media que se refocilaban con el escarnio ajeno. Pero, amigos míos, el show Tres mujeres descontroladas era otra cosa. Allí podían ver a Batato Barea, Alejandro Urdapilleta y Humberto Tortonese presentando un aguafuerte argentino.

—Él se escarba los dientes con un palo de escoba/ En verdad escarba mi corazón en pena— recitaba Batato con su ronquera crónica, obsequio de tantas trasnoches invernales actuando en ese húmedo escenario. *Puerto Montt* estalló desde los parlantes y el actor revoleó el torso sobre el público. Los largos mechones de su peluca amarilla surcaron los aires y latigaron el rostro de Urdapilleta. El público del Parakultural reía a mandíbula batiente. Entonces entró la patrulla de la ley.

—Ay, si los ciruelos dieran nueces/ los nogales nuez moscada/ Si las alegrías estuviesen petrificadas/ como huellas en la nieve/ Cómo sería el paisaje/ si mi corazón se abriese como una compuerta/ y de allí saliese el niño que fui/ todo envuelto en carcajadas/ para ponerse a bailar sobre una hoja seca. —Alejandro Urdapilleta me supo a actor trágico, a poeta, en su personaje de la poetisa Alma Bambú. Los agentes contemplaban el show desde la puerta.

—¡Agua! ¡Agua! Eso voy gritando/ por calles y plazas/ ¡agua! ¡agua! —Humberto Tortonese había enfundado su exquisita delgadez en un camisón blanco de seda y una estola de piel. Alma Bambú le alcanzó un vaso de agua.

—¡No quiero tomarla! —exclamó Humberto, y arrojó el vaso al público, que rió aún más— ¡No es mi boca la que pide agua! ¡Es el alma seca y reseca que se rasga! —El joven estaba verdaderamente fuera de sí (el público también). Entonces los gendarmes comenzaron su trabajo, pidiendo documentos entre la concurrencia.

—Siento como un despecho con la gente cuando se ríe

—me dijo Humberto Tortonese, ya en el camarín—. Entonces pienso: ya te va a pasar a vos también.

Los agentes se acercaron al camarín.

—No somos transformistas —les dijo Batato—. La esencia del actor es transformarse: puede ser varón o mujer, lo mismo da.

No sé qué entendieron los policías, pero minutos después vi a Batato en el escenario haciendo un play back con la voz de Doménico Modugno que susurraba: Pensaba en ti/ en el misterioso viajero de mi ser. Batato estaba envuelto en gasas y llevaba en sus dedos unos gigantescos anillos con margaritas de plástico. Entonces entendí que el aire del Parakultural seguía sabiendo a pólvora, aunque ya no sonara un solo tiro en sus malditas paredes. Ya eran las dos.

El bar Crónico, a esa hora, cobijaba más humo que la caldera del Expreso de Oriente atravesando el Cáucaso a toda máquina. La tertulia escuchaba apaciblemente el jazz del grupo Sarten System.

—¿Me hacés la firma acá? —Un muchachito se inclinó sobre la mesa donde Charly García tomaba unos tragos y carraspeó. García le echó una ojeada y vio a un chico de unos 18 años de edad, con bucles rubio oscuros largos hasta los hombros, que le extendía un raído y auténtico álbum Grasa de las Capitales, de Serú Girán, edición 1979.

—¡Qué gloria! —exclamó al ver el disco la cantante Hilda Lizarazu, sentada junto a Charly. En la mesa de al lado, Peluca, manager de Fricción y Los Siete Delfines, contaba historias antiguas de rock and roll. Charly estampó su firma en la desvencijada tapa y sonrió.

El chico había tomado dos colectivos desde el barrio de Haedo para llegarse esa noche allí (le habían dicho que Sarten System era un grupo de culto). Esa misma tarde su novia le había prestado el disco, Serú Girán era su Biblia y cuando vio a Charly en una mesa próxima se le estrujó el corazón.

—Con Los Redondos siempre estaba el mito del fernet —contaba Peluca—. Primero lo tomábamos con Coca Cola y después con soda o con agua. Siempre nos encontrábamos en bares viejos del centro. Iban Poli y Skay y a veces el Indio.

—La primera vez que vi a Los Redonditos había una mina haciendo un strip tease en el escenario —siguió Peluca—. Yo no entendía nada.

—¿Por qué tanto escarnio, Peluca? —preguntó una chica.

—Qué sé yo. Se tapa todo.

La máquina de la policía pasó por Crónico sin llevarse a nadie y siguió patrullando la noche. Cargó decenas de feligreses de la discoteca Bunker y de Satisfaction, donde Patricio Rey y sus Redonditos de Ricota ejecutaban un concierto.

En el pub Vladimir, por el cogollo de Belgrano, el aire se sopesaba en dólares el centímetro cúbico. Quiso mi mala estrella que esa agitada noche llevara hasta allí mis huesos. Entonces vi la flamante película cibernética que recubría la piel de Nacha Guevara, que parecía extenuada de tanta adolescencia. Allí estaba, nuevamente, Charly García, rodeado de modelos, empresarios y grupis de lujo. Vladimir, el viejo aristócrata, no vio alterado su enrarecido aire con la presencia de la policía. Y eso que el escarnio carcomía sus tuétanos con furor. Vladimir, viejo canalla, con sus Don Valentín lacrados y sus mingitorios apestando a Paloma Picasso y a Chandon. Salí de allí y pensé: Buenos Aires me escalda, Buenos Aires me aburre.

Sobre el trescientos de la calle México, en el bar Bolivia, resplandecía un baile de máscaras. El artista Sergio de Loof había rapado su cabeza en círculo, al modo de San Francisco de Asís, y llevaba el cuerpo desnudo, sólo cubierto por un tul.

—Esta noche de Carnaval es una burla a la muerte, que todavía no nos llegó. Albricias —le dijo a una chica disfrazada de máscara veneciana.

—Tal vez hoy encuentre a mi hombre ideal —canturreó ella, tomando la mano de su amiga íntima. La máscara veneciana llevaba unos horrorosos zapatos de plataformas con lunares verdes y sus orejas estaban atravesadas por al menos seis pendientes cada una.

Una chica disfrazada de Alicia en el país de las maravillas jugaba con Facundo, el conejo de Bolivia. El conejo no quería salir de la cocina.

Frente a la barra, un hombre le relataba a una muchacha una historia de póquer y meretrices.

—Fue en Singapur: gané una partida de póquer que duró tres días y tres noches. Después fui a un lupanar y amé a una etíope.

El tipo alcanzó cierta celebridad como director de cine, escribió unos guiones y hasta hizo algunos trabajos en España. Pero la noche del baile de máscaras, con furibundos soplos de ardor corroyendo su alma y un par de whiskies Johny Walker encima, declaró su perversión a

131

la muchacha que lo miraba con labios húmedos:

—Quiero que seas mi meretriz —le soltó.

Alguien cantaba *Apriétame más*.

A eso de las cinco Sergio De Loof se asomó a la calle. La máquina de la ley estacionó frente al bar.

—¿Qué hace usted, está loco? No puede andar desnudo —le dijeron los uniformados—. A ver, contra la pared. Documentos.

—Yo soy el dueño del bar. Es un baile de Carnaval —explicó De Loof.

—Entren a ver si hay más degenerados —ordenó el oficial a sus agentes.

—No se lleven a nadie, por favor —gritó De Loof, con ambas manos apoyadas en la pared—. Éste es un momento místico para nosotros, de conocimiento de nosotros mismos.

Pero los policías zambulleron al joven en el automóvil, lo tuvieron veinticuatro horas detenido y luego le iniciaron un proceso por exhibiciones obscenas en la vía pública. Del bar se llevaron a unos cuantos más. Facundo, el conejo de Bolivia, miraba fijamente cómo agonizaba la fiesta. De su boca colgaba una hoja de lechuga.

EL CHICO AGUJA

El Chico Aguja es el típico hijo de la televisión. Hagan cuentas: siete horas diarias de máquina idiota durante los años de su escuela primaria más tres horas diarias de videogames en los años de la secundaria (ahora está en tercer año y sigue deglutiendo, además, las siete horas de TV). El problema es que casi no consumió otra cosa.

Se crió en la trastienda de la mercería de sus padres, en el viejo Palermo. La vivienda está tras la mercería y consiste en una habitación grande y húmeda que nunca ve el sol, donde hay una mesa, trescientas cajas de medias de nailon color marrón y, colgando sobre las cabezas, una cuerda con ropa tendida (la ropa huele a frito, como toda la vivienda), una cocina diminuta, un baño y dos piezas (las piezas miran a la calle Godoy Cruz y tienen sol). Frente a una pared, sobre la mesita rodante, el televisor veintiocho pulgadas sonríe satisfecho.

El Chico Aguja maneja el control remoto desde los cuatro años de edad. Sus héroes eran He-Man y Meteoro. Después fue Freddie Krüger. Una vez, su gato se trepó a la mesa y, sin pensarlo, el Chico presionó el control remoto para quitarlo de ahí. ¿Me siguen?

Ve muchos noticieros. Y series de violencia. Pero tiene

la inocencia de quien no conoce el mundo y la honestidad de los inmigrantes españoles. Es uno de los mejores alumnos del Nacional Buenos Aires, aunque casi no estudia (por eso de ver televisión todo el tiempo). Creo que en el colegio le va bien porque mira y atiende cada clase como si fuera un programa de tele (pero el colegio le gusta más porque es de veras). No va a fiestas porque se le ocurre que eso no es para él. Se rapa la cabeza cada seis meses y usa los mismos jeans sin marca de tres años atrás. Se cambia de camisa cada dos días (tiene cuatro en total). Es alto y atlético, pero no hace deportes (no tiene tiempo, ya saben por qué), detesta el tabaco y es fanático de Gun's and Roses y de las papas fritas importadas.

No tiene novia. Sus verdaderos problemas empezaron en segundo año, cuando una chica de primero con la que a veces hablaba de tele y de música lo cercó en la puerta del lavabo masculino.

—Tengo algo que decirte. Esto —susurró ella, y luego le estampó un beso en la boca.

La chica se fue y el muchacho quedó con el corazón haciendo eses. Ella nunca más se acercó, y, ya saben, el Aguja es el tipo más tímido del planeta.

Aunque siguió con emoción las manifestaciones y huelgas estudiantiles del año 1992, en esos días pensaba más en cómo volver a encontrarse con la chica que en inventar fórmulas químicas para liquidar problemas del país (el Aguja es un as en química).

Un buen día estaba atendiendo la mercería cuando entraron dos muchachitos de aspecto por demás extraño.

—Queremos hilo invisible, de tanza, que soporte veinte kilos —le pidieron. Los chicos llevaban sus cabezas parcialmente rapadas, aros en las orejas y buzos de colores.

—¿Veinte kilos? ¿Para qué lo quieren? —preguntó el chico.

Los tipos no quisieron largar prenda, pero después de un buen rato de conversación (los temas fueron Sumo, Mario Pergolini y el zoológico) el Chico Aguja se enteró de que ellos se llamaban Los Bang Bang y que pertenecían a un grupo terrorista-ecologista de niños. El Aguja se comprometió a participar en la próxima reunión de Los Niños Sabios para ayudarlos con sus conocimientos de química en el atentado que estaban preparando. Esa noche no vio televisión: se quedó pensando en Los Niños Sabios y en que al día siguiente invitaría a la chica a la reunión. La invitó, y días después fueron juntos a una funeraria, donde celebraron la ceremonia de iniciación rodeados de siete Niños Sabios y de tres féretros.

EL JOVEN DE LOS NUEVE PSICOANALISTAS

La historia que quiero contarles sucedió durante uno de los primeros inviernos de la década del 90, en El Dorado. Imaginen a un joven altísimo, de largos cabellos castaños recogidos en una cola de caballo y ataviado con unos jeans pasados por lavandina, los jirones de una camiseta y una campera de cuero de quinientos dólares. Aunque un par de lindas chicas bebían los vientos por sus largos huesos, creo que él sólo tenía ojos para las bandejas con alimentos y, sobre todo, para las copas de aguardiente.

Él es el joven de los nueve psicoanalistas. El último —Julián iba a verlo tres veces por semana en Los Ángeles, donde vivía— le cobraba cien dólares la sesión. Julián grababa las sesiones. ¿Creen que al psicoanalista le gustaba que él hiciera eso? No, no le gustaba, pero el chico seguía haciéndolo, y a veces, sin previo aviso, pulsaba el grabador y la cinta reproducía sesiones pasadas. En la primera entrevista el psicoanalista que había escogido su madre lo recibió con un guardapolvo puesto. El chico fue a la sesión siguiente vestido con un guardapolvo. No quisieran estar en el pellejo del doctor de Julián.

Julián es el tipo sanguíneo de muchacho que en una recepción de su madre puede estar en la cocina, junto a los mozos, quemándose con whisky hasta desplomarse en el piso. El típico chico con problemas. Chocó tantos automóviles como imaginen, desayunó en distintas comisarías unas cuantas veces y probó todos los venenos que pasaron cerca de él, y también los fue a procurar. Plantó cannabis en el jardín materno de Los Ángeles y la vendió de a cien gramos entre los hijos de los ejecutivos de la empresa de su mamá (ella tiene acciones en una compañía norteamericana de cosméticos).

Un detalle: Julián es un corderillo, pero cuando el demonio se apodera de su cuerpo, huele a pólvora. A comienzos de ese mismo año, en Los Ángeles, casi estrangula a un chófer de su madre. El desventurado hombre no quiso darle la llave del Porsche de la mamá (eran las tres de la mañana y ése era el único automóvil en condiciones: los otros dos estaban en la enfermería). La escena se desarrolló en el dormitorio del chofer, en el segundo piso de la residencia. Julián le arrojó un cenicero de vidrio y luego clavó sus manos en el cuello del tipo.

Así las cosas, vivió en Los Ángeles hasta un mes antes de que comience esta historia. En julio del '92 se fue a Buenos Aires a vivir con su abuelita, a la que adoraba. Y esto nos conduce a la fiesta de El Dorado. Porque Julián llevó a su abuelita a la fiesta, y eso es lo que quería contarles.

—¿Querés un poco de champaña, abuelita? —le oí preguntarle suavemente, ya instalados en una mesa.

—No, querido, gracias —contestó una anciana de cabellos blancos.

Hace poco la llevó a ver la película The Doors y le tapó los ojos en las partes que podían causarle impresión.

Si le preguntan, ella les dirá que finalmente vio bastante poco de la película, pero que ese poco no le gustó.

En la fiesta ella estaba sentada cerca de la barra, en una mesita ubicada junto a la puerta de acceso a la cocina. El chico se instaló en la cocina. En la mano tenía un vaso de plástico con champaña y buscaba algo de comer. Ya había pasado la hora de la cena, pero Julián consiguió unas batatas asadas.

En el salón la abuelita hablaba de su nieto con algunos contertulios. Le contaba a una chica los orígenes del apetito de inmigrante del muchacho. Antes de hacer tanto dinero la mamá de Julián fue hippie y creo que hasta fue a Woodstock, o algo así. Cuando el muchacho era pequeño, la heladera de su casa sólo contenía botellas con agua y paquetes de hamburguesas. Aún hoy —y la noche de El Dorado lo hizo— el muchacho puede recitarte de memoria la receta del puré Chef sintético, su alimento básico por entonces: "Hierva tres cuartos litros de agua, añada sal a gusto y veinticinco gramos de manteca. Retire el recipiente del fuego y agregue media taza de leche fría. Vierta de una sola vez el contenido del paquete y deje reposar un momento. Revuelva sin batir hasta obtener el puré en su punto; condimente a gusto."

Desde su llegada de Los Ángeles Julián casi no había hablado con nadie. Había vivido cinco años allá. Necesitaba amigos desesperadamente. Necesitaba hablar desesperadamente. ¿Captan la situación?

Esa noche, otra vez, la pasión tiñó de rojo el aire de El Dorado. En la barra, dos amazonas de Asperges (un grupo teatral maldito) repartían la pócima del desenfreno. Les hubiera gustado verlas, parecían tan bellas y poderosas.

En el saloncito VIP, Guillermo Vilas navegaba apaciblemente. Los lavabos femeninos eran una pintura de Rubens.
Dos chicas de piel suave y rolliza intercambiaban corsets.
Teté Coustarot mostraba a Susana Giménez los espejos
decorados con perlas y conchillas. Una chica se desnudaba
y volvía a vestir con otro atavío. Otra peinaba su peluca
verde. En la puerta lloraba una muchacha. Julián se le
acercó.

—¿Te gustaría que te cuente lo que me pasó en el
desierto de Utah?

La chica lo miró. El muchacho no se veía nada mal.
Pero ella dirigió su mirada con furor hacia el saloncito,
donde su novio se embriagaba con amigos.

—Yo estaba viviendo en Los Ángeles —empezó el
muchacho—. No hacía nada, salvo romper los coches de mi
mamá. Entonces un día dije que me iba a Miami y cargué
dos alforjas con comida seca y agua potable y me fui al
desierto. Quería experimentar la soledad, el desierto, los
hongos alucinógenos.

—¿Tenés algo de tomar? —preguntó la chica, con la
vista fija en el saloncito. El novio y sus amigos cantaban una
canción de Los Twist: —Los que lo son/ los que lo fueron
antes/ los que por siempre/ tienen de estudiante/ para toda
la vida el corazón/ Es el estudiante/ el ejemplo universal/
Estudiantes a estudiar —rugían.

La chica apretó las mandíbulas y tomó un trago del
champaña tibio. Julián siguió hablando por cuarenta minutos más.

—Me encontré con una aborigen y pensé: tendría
que hacerle un hijo —decía.

De improviso, la chica sintió que una tenaza aprisio-

BUENOS AIRES ME MATA

naba su brazo. Era su novio, con los ojos fuera de las órbitas y tambaleante:

—Yo me voy de putas. ¿Venís?

La chica terminó corriendo a su novio por el salón, gritándole que lo amaba, y Julián corriendo a la chica, para contarle el final de su historia.

—Tu novio no te escucha —la interceptó—. ¿Querés ir a robar comida a la cocina y después salir a romper coches? (su abuelita le compró un automóvil, un pequeño Renault color azul).

A medianoche, cuando se sucedían estos acontecimientos, El Dorado era un templo pagano con seiscientos fieles poseídos por el demonio. En cuanto a Julián, sus ojos lanzaban bocanadas de fuego.

De improviso, un joven ataviado con casquete y vestido plateado cayó sobre la mesa de la abuelita y derribó las copas. Cuando alargó una mano para aferrarse a una silla, una pata de la mesa se quebró. Su cabeza fue a dar contra un cuadro que colgaba en la pared. El cuadro cayó sobre la abuelita. Terminaron los dos en el suelo, chorreando champaña. Julián sólo vio el final. Fuera de sí, tomó el cuadro y con él atravesó la cabeza del chico. A Julián lo echaron de El Dorado. La fiesta siguió. En la barra, dos jóvenes hacían negocios por 300 dólares. Sonaba Chris Isaak con Dont make me dream.

EL FRENESÍ V

Créanme, apurar una tertulia de Trumps puede caerles igual que cien patadas en el trasero. Una noche de verano encaminé mis pasos fuera de Oh Madrid luego de ver el bello video Flores de agua, de Mariano Galperín. Entonces, sin escuchar los malos augurios, fui hasta la esquina de Bulnes y Libertador y allí comenzó esta historia.

El hombre fuerte de Trumps era un moreno de piel reluciente como el azabache, portero de discoteca con frac blanco y moño negro.

—Hola, Andrés, ¿cómo estás? —Con la cabellera blanca batida a fuerza de spray y los ojos negros brillando tras las pestañas postizas, el delineador, el rimmel, el sombreado color oro, una joven elevó sus pies sobre los zapatos dorados de altísimos tacos y dejó una huella roja en la mejilla del hombre. Andrés tomó el brazo de la muchacha, depositó un beso húmedo a la izquierda de su boca y la condujo a la entrada del lugar, sorteando los pesos pesados que entraban y salían.

Creo que esa noche vi a unas diez muchachas semejantes a aquélla, con gruesas capas de maquillaje color terracota, muslos tostados y rollizos, aros brillantes y anillos (uno en cada dedo de la mano). En cuanto a sus proas, amigos míos, todas parecían tan puntiagudas como recién infladas. Apuesto que el hombre fuerte de Trumps, esa noche, recibió no menos de veinte de esos besos-pasaporte a la entrada.

Mientras carraspeaba una gaseosa que valía más de lo que pesaba, junto a mí tomaban sus whiskies los caballeros de la noche, afilados gladiadores que arañaban la cincuentena vestidos con claros trajes de gabardina o con camisas de grandes cuellos y sacos de colores. Esa noche se presentaba en sociedad la ex esposa del actor Sylvester Stallone, la modelo Brigitte Nielsen.

—¡Qué me van a hablar de Brigitte Nielsen con las yeguas que tenemos acá! —escupió un señor parado a mi lado. En el aire, una música nauseabunda decía Ritmo/ el ritmo de la noche, o algo así. Me fui echando diablos, jurando por todos los santos no volver a poner mis pies allí.

Salir de aquel infierno, amigos míos, y entrar al Club Social Eros fue lo mismo que llegar a un hogar. El grupo Los Siete Delfines tocaba su rock and roll y el maestro de ceremonias Pipo Cipolatti animaba la reunión. Después de los chistes de baja estofa del animador —celebrados con risas entusiastas por los asistentes—, y después del hit *Dale Salida*, los músicos y sus amigos se fueron a seguir escanciando la noche en la casa de Richard Coleman, por la barriada de Palermo.

Los demás parroquianos del Eros quedaron contemplando el cuerpo de un bello joven que se desnudaba mientras se celebraba una bacanal.

En la mansión Coleman se conversaba acerca del amor.

—Quiero vivir enamorada todo el tiempo —decía la

novia de uno de los músicos, una preciosura que calzaba altas plataformas con forma de corazón y llevaba sus corpiños de gasa blanca rellenos con goma espuma.

—Madonna rellena sus corsets —sonreía.

En el salón contiguo, Cerati y Richard escuchaban el disco de los Delfines: Si algo te importa/ más que tu vida/ corre, se oía.

Las chicas peinaban y trenzaban sus cabellos:

—Ellos olvidan enseguida eso de las cartas, las flores y los bombones —refunfuñó una de ellas (creo que varios de los jóvenes que escuchaban música en el salón hubieran mordido con ardor el tallo de su rosa de Barbie recién crecida).

—¡Vamos a una fiesta! —chilló otra chica.

Un rato después, el viento corroía tu cerebro a través de los ventanales abiertos de un caserón en la calle Godoy Cruz. Aquello era una fiesta sostenida a puro tetrabrick y aguardiente en petaca. Tocaban tres grupos: Los Cafres, Los Montoya y Amor Indio.

—Somos músicos de los '90 haciendo psicodelia —decía el líder de Amor Indio, un chico con flequillo beat y ojos azules grandes como dos lunas atónitas. Los Amor Indio, como casi siempre, hicieron play back, arrojando baldes de alegría de plástico con sus guitarras desenchufadas.

—En mi mundo ideal/ estar loco es normal/ por eso todo anda bien/ creo que me quedaré/ flores blancas comerán/ todo el día gozarán/ y por las noches estarán/ preparados para amar.

Mientras el grupo tocaba, algunos jóvenes escuchaban sentados en el piso. Otros corrían de una habitación a otra.

—Antes éramos punks y afters, y ahora estamos

tratando de salir de la muerte y de la sangre —siguió el Amor Indio—. O te suicidás o salís. Me encanta el verbo amar.

Aquella fiesta era una multitud que se arrastraba y subía escaleras en espiral hacia una terraza y las volvía a bajar. Las chicas se magreaban y los chicos se dejaban ir como almas que lleva el diablo de la terraza al lavabo y viceversa. Una habitación con una cama de dos plazas albergaba a siete u ocho que parecían hacer el amor. No se veía una gota de alcohol por ningún lado, sólo botellas vacías, pero todos estaban totalmente borrachos.

—Nunca me siento solo porque no puedo creer que todo el universo se haya hecho sólo para mí— decía el reportero Tom Lupo. Creo que él no estaba embriagado. Iba acompañado de un tipo de barba rala y espesos bucles. A decir de su sonrisa, el tipo no era muy amigo de ir al dentista.

—Es un poeta maravilloso. Lo conocí en la calle—dijo Lupo. Luego presentó a dos chicas que estudiaban teatro vocacional y vivían en un pensionado de extramuros.

En ese momento un tipo se arrojó encima mío. No sé si por su sangre fluían polvos blancos venenosos o qué, pero me fui de allí recordando un tema de Los Caballeros de la Quema, unos tipos del Oeste, que dice: Buenos Aires esquina Vietnam/ Buenos Aires adiestra cretinos/ Buenos Aires pega por la espalda.

En la calle aspiré el aire de la noche. Esos tipos, por añadidura, fumaban como locomotoras. Tomé un auto de alquiler, respiré hondo y cerré los ojos. El automóvil arrancó como un murciélago derecho al infierno.

—Me llamo Fisura Mental y soy poeta —disparó el

chofer, torciendo su cuello hacia mí. Creo que íbamos a unos ciento noventa kilómetros por hora. Me encomendé a la Virgen de los Milagros y le escuché recitar un poema a la madre y otro a la maestra. Todo mientras conducía mirando hacia el asiento de atrás, donde, ya saben, estaba yo. Fisura llevaba el cabello largo hasta los hombros. El aire de la noche estaba cargado y ardiente. La ciudad parecía a punto de explotar.

CITA EN EL SHOPPING CENTER

¿Saben? Esos días cuando están mal. Tristes. Esos días en que no saben a qué le temen. ¿Han estado alguna vez así? Cuando me ocurre, tomo un taxi y me voy al shopping center. Me tranquiliza en seguida su aspecto orgulloso. Nada malo podría ocurrirte allí. Es maravilloso.

Adoro desayunarme con la visión de los escaparates, de los rayos del sol que se meten por las cúpulas de vidrio, con los destellos de las escaleras mecánicas hiriendo mis ojos. Un dato, y van a entenderme: Daniel Ash, el cantante de Love & Rockets, dice que le gusta viajar por los shoppings y quedarse prendido de las luces y los reflejos de las vidrieras. Le gusta volar por los shoppings. Como a mí.

Podría contarles algunas cosas de los shopping center. ¿Y saben por qué? Porque una vez quedé atrapada en la escalera mecánica de un shopping durante un fin de semana completo. En esas cuarenta y ocho horas, créanme, vi unas cuantas cosas.

No me pregunten a qué huele un shopping. Sabe a pollo frito, a perfume Kenzo de 100 dólares y a desodorante de ambientes. Todo mezclado. Dicen que los shopping center son los museos de la actualidad. Museos de la vida contemporánea. Mi amiga conoció a su nuevo novio en el shopping, y allí mismo, unas semanas antes, una tarde en que la lluvia se estrellaba contra la cúpula de vidrio que se alza allá en lo alto, presencié un acontecimiento por demás extraño. Recuerdo bien esa tarde de lluvia. Buenos Aires era el lugar más inhóspito que imaginen. No había lugar más acogedor en el mundo que el shopping. Y lo mismo que yo había pensado un millón de personas, figúrense.

Esa tarde el transcurrir consistía en subir y bajar por las escaleras mecánicas con los ojos fijos en las vidrieras. Subí y bajé por las escaleras mecánicas desde que el reloj del templo comenzó a marcar las tres de la tarde, y seguía subiendo y bajando cuando anocheció. Me fui cuando cerraron, casi a la medianoche. Entretanto, sucedió aquello. Vi a unos cuarenta escolares recorrerlo todo vestidos con indumentarias blancas, medias azules hasta la rodilla y zapatos abotinados. La maestra que los conducía iba vestida de blanco como ellos pero con zapatos de tacón, y agitaba los brazos y graznaba en alta voz. Una banda de sonido lanzaba atronadores dardos de órgano electrónico.

En el último piso la juventud dorada dejaba su sangre en los video games. Unas cuantas familias, niñitos electrizados y jóvenes y más jóvenes. Entre la mirada de cada uno de ellos y las pantallas de los juegos parecía haber una línea de puntos. Muy cerca, unos chicos de peinados estrafalarios llamaron mi atención. Uno llevaba su cabello amarrado en un rodete, otro tenía media cabeza rapada y un tercero era un rasta con mil trenzas y mostacillas y ojos de azabache. Iban vestidos con ropas de colores y zapatillas con estrellas. Junto a ellos, una muchachita ataviada con un vestido blanco y zapatillas verdes, de cabellera de color fuego, se arrojó al piso con las dos manos y rodó en una media luna.

La falda envolvió sus bucles y dejó ver unas calzas amarillas. Otra, vestida de colores oscuros, parecía comandar a todo el grupo. Ninguno de ellos tendría más de diecisiete o dieciocho años de edad. Sus movimientos eran de lo más extravagantes. No caminaban, más bien trepidaban nerviosamente de una máquina a otra, y parecían más interesados en el funcionamiento de los video juegos que en los juegos en sí.

Uno de ellos encendió una estrella de bengala y se la dio a una niña. La tarde se deslizaba como un pez sobre el agua cuando las pantallas de los video juegos comenzaron a titilar, hasta que lanzaron un destello y se desconectaron. Entonces se escuchó bajo la cúpula del shopping center la música de un grupo que se llama Illya Kuriaky And The Valderramas y desde las diez o doce pantallas comenzó a transmitirse un video en blanco y negro. Los chicos que estaban apostados frente a sus videos estaban atónitos. Los monitores mostraron a un mono sentado en una silla.

Y ahora viene la parte difícil: el animalito se autoestimulaba con pasión, mirando fijo la cámara. Y eso fue todo. Poco después, cuando el monito llegó al éxtasis, las pantallas se apagaron y la música cesó. Entonces los chicos dieron un salto y echaron vuelo. Entretanto habían pintado las paredes con grafitis que decían: «Ustedes son unos hipócritas» y habían firmado «Los Niños Sabios».

¿Saben cómo escaparon? Se descolgaron con cuerdas desde el último nivel hasta la planta baja. Uno de ellos arrojó un manojo de cucarachas muertas en el rostro de un guardia. La multitud que llenaba los niveles de la catedral, del shopping center, quedó paralizada por un instante. El grupo de escolares siguió toda

159

la escena con las lenguas paralizadas.

Luego todos volvieron a caminar, volvieron a mirar con ojos vacíos sus propias imágenes reflejadas en los espejos de las vidrieras. Había que seguir. Por eso les digo, como Audrey Herpburn en Breakfast at Tiffany's: cuando estoy triste, cuando no sé lo que tengo, tomo un taxi y aterrizo en el shopping center. Es maravilloso. Su aspecto magnífico me tranquiliza. Nada malo podría pasarte allí.

LOS HERMANOS ARIZONA

Ésta es una aventura de los Hermanos Arizona. ¿Conocen a los Arizona?

—Nosotros tenemos soñada la misma muerte —me dijeron una noche en Babilonia—. Soñamos que robábamos un coche de la poli. Después arrancábamos una supermoto. La poníamos a ultravelocidad. Buscábamos una pared dura. Prendíamos un fósforo. Y explotábamos como una bola de fuego.

—Somos bastante violentos —agregaron.

Ese jueves por la noche, un rato antes de esta conversación, un grupo de siete tipos a bordo de un taxímetro que apestaba a humo y nafta estacionaron en una gasolinera céntrica y compraron siete remeras iguales: blancas y estampadas con cabezas de tigre. Conducía el automóvil uno de los Arizona (el muchacho trabajaba en un taxímetro para ganarse el pan; ellos viven en una zona de extramuros, hacia el oeste de la ciudad). Adentro iban el músico Andrés Calamaro, el escritor Rodrigo Fresán y otros tres músicos. Y el segundo Arizona.

Los siete jóvenes se calzaron las remeras y rápidamente decidieron formar una banda y salir a tocar esa misma noche. El grupo se llamaría Locos por la Música. Llegaron a Babilonia diez minutos después y corrieron directamente al escenario. La sala empezó a llenarse.

—Che, Gordo —Calamaro se dirigió a uno de los Arizona desde la batería, con el micrófono abierto—: ¿Hoy estuviste en la cancha de All Boys?

—Sí —fue la respuesta. El muchacho enfrentaba el micrófono junto a su hermano, de cara al público—. Un rati mató a golpes a un pibe.

Entonces empezaron a cantar el hit *Piñas van*: Piñas van/ piñas vienen/ los muchachos/ se entretienen/ Pilchas/ pilchas/ pilchas criollas.

La temperatura del lugar comenzó a caldearse. Alguien subió cerveza a los músicos. Los Arizona ya habían desnudado sus torsos húmedos cuando, de improviso, Charly García irrumpió en el escenario. A esa altura de la noche —aún no habían sonado las once campanadas— Babilonia estaba atestada de personas y la tertulia saludó fervorosamente al recién llegado. Los Arizona terminaban con su show tracción a sangre y Andrés Calamaro arrojó una de las remeras en dirección a García. La remera cayó al piso.

—¡Que se ponga la camiseta! —gritó un Arizona, y la levantó para alcanzarla a Charly.

García no tomó la remera, que se fue al demonio. En cambio, tomó el micrófono de los Arizona y atacó con Jugo de tomate frío/ en las venas/ en las venas/ deberás tener.

El Arizona masculló su rabia y luego, en camarines, con las venas latiendo de aguardiente y odio, dejó explotar su ira. Los camarines vieron correr sangre de músicos esa noche. Pero el público nunca se enteró.

¿Saben dónde se criaron los Arizona? En Ciudad Evita.

En aquellos años no les importaba nada: chocar con las bicicletas, levantarse temprano para ir a pelear, volver a casa sangrando. Un poco más adelante, empezaron a ir a recitales y a recibir botellazos.

—Es la violencia que lleva la vida —me explicó uno de ellos un rato después de la borrasca—. La vida es violenta. No creemos en lo no violento. Pero preferimos hacernos amigos. Si hay algo que apreciamos son los amigos.

—Agradezco a mis amigos —agregó su hermano, limpiándose la sangre que mojaba su nariz—. Llega la resurrección.

Pasada la una los Locos por la Música se fueron a Bolivia. Allá, en San Telmo, se pasaba un video con luchas galácticas de un futurismo raído y pasado de moda, unas imágenes escapadas de una revista de ciencia ficción de los '60, cuando se soñaba con un mundo mejor. Bolivia era igual a Babilonia, pero al revés. Todas las chicas eran lindas y vestían pantalones oxford.

—Yo pienso: ¿me pongo los pantalones oxford otra vez? —cavilaba la directora teatral Vivi Tellas—. Me parece increíble ver pasar los revival de nuevo, y un poco me aburre. Pero pienso: ¿me pongo los pantalones oxford otra vez?

Junto a la ventana que miraba a la calle México, usando la música del video de fondo, Andrés Calamaro y Rodrigo Fresán comenzaron a cantar un tema del grupo que integraban con Los Arizona: Pilchas Criollas.

—Yo vivía en el bosque muy contento/ —cantaron, abrazados uno sobre otro, macerando un ritmo de rap— Y si me aplazó la formalidad/ es que nunca me gustó la libertad/ American Express/ la libertad.

Junto a los equipos de música, el músico Daniel Melero decía:

—Mi próximo disco va a ser muy tecnológico. Está inspirado en una película de Boris Karloff.

Los Arizona pidieron otra cerveza. Los Pilchas Criollas debieron dejar su rap, porque inopinadamente Bolivia se transformó en una discoteca. La voz de Aretha Franklin se aferraba a las luces de plástico del arbolito de Navidad (hacía poco se habían celebrado las fiestas de la epifanía) y los contertulios comenzaron a bailar en el reducido espacio entre las mesas.

Los Arizona fueron hacia el taxímetro y surcaron la ciudad rumbo a la Nave Jungla. Allí, ante la leyenda de neón que con una rareza ortográfica dice Conósete a ti mismo, se lanzaron a lustrar las pistas. ¿Saben cómo bailan Los Arizona? Como cowboys enfurecidos. Sonaba, de los Rolling Stones, *Sympathy for the devil*. Uno de los hermanos bailaba con una remera envuelta en su cabeza y el torso, otra vez, desnudo. Los Arizona, dos hombres, una madre, un padre, una sociedad de sangre.

Uno de los dueños de la Nave obsequiaba unas estampitas de San Miguel Arcángel con la leyenda: «Tú, Príncipe de la milicia celeste, arroja al infierno a Satanás y demás espíritus malignos que vagan por el mundo para perdición de las almas». Las estampitas se canjeaban en la caja por una cerveza o un gin tonic.

—¿No te gustaría despachar a algunas personas? —preguntó un Arizona a otro. Cerca de los hermanos, un hombre que medía cerca de un metro de altura se hallaba parado sobre la barra con una ametralladora de plástico en la mano, junto a otro hombre de un metro que portaba una antorcha. Ambos permanecieron inmóviles durante todo el tiempo que los hermanos estuvieron allí.

El Arizona bebió su último trago y respondió:

—A algunas. Pun, pun, pun.

—Las armas las carga el diablo —siguió el otro— y el gatillo lo aprieta Dios. Y el diablo metió su cola en el cargador.

Tuvieron una pelea a una cuadra de allí, con tres o cuatro tipos, y después volvieron a reponer fuerzas al bar de Mary, frente a la Nave. ¿Conocen el bar que regenta la señora Mary? Esa noche de verano, el antiguo bar marchaba como una procesión del Ejército de Salvación un día de sol radiante. Eran decenas las muchachas y los muchachos que se clavaban empanadas fritas, cervezas tibias y pizzas al aceite, y ya eran las cuatro de la madrugada. Pero la señora Mary que esa noche vio a los Arizona traspasar las puertas de su bar, no era la misma mujer que ustedes conocieron el día de inauguración de la Nave, allá por diciembre del '88.

En aquel entonces, ella era una apacible matrona que un día vio alterar el paisaje de su tradicional café con la llegada de los grupos de bulliciosos jóvenes que procedían de la nueva discoteca.

En las noches de los primeros meses, la señora Mary sonreía y trabajaba a todo vapor. Un par de años después —la noche de los Arizona— las cosas se veían muy diferentes. La mujer se veía muy diferente: sus ojos estaban opacos y enrojecidos, los cabellos blancos se pegaban a su rostro y todo su cuerpo caía sobre la caja registradora. Un viejo rocker, poseído por un veneno químico, le hablaba al oído.

—¿Cómo le va, Mary? —interrumpieron los Arizona.

—No quiero hablar —dijo ella. El rocker miró a los dos hermanos con ojos desenfocados. Después de un eléctrico silencio, la señora Mary siguió, en un ronco susurro:

—Antes era vida. Pero el mundo de la noche es muy difícil. Antes trataba de controlarlo. Ahora ya no —y agregó, después de una pausa—: Esto es una mierda.

¿Pueden creerme? Para los Arizona, la confesión de la mujer fue igual que un pistoletazo en la cabeza. Es que los muchachos son todo corazón. Se fueron caminando, con sus almas estrujadas, hacia la avenida Las Heras, buscando El Colectivo Que Anda Toda La Noche. El taxímetro había quedado en la Nave, averiado.

LOS NIÑOS SABIOS

El año de los atentados fue el 91. Por el invierno vi a los Bang Bang sentados a la mesa de un bar de la avenida Libertador, justo enfrente al Club Obras Sanitarias, una noche de concierto. El recital aún no había comenzado pero la avenida sabía a fin de fiesta. Los muchachos bebían gaseosas y hacían anotaciones sobre planos.

—Por aquí llega La Chica con la trafic —decía uno de ellos mientras trazaba flechas sobre el papel— y adentro está el Aguja esperando.

Mientras esto sucedía en el bar, un chico de 14 años de edad y una niña de cabellos rojos que tendría unos 13 hacían un graffiti a una cuadra de allí. ¿Saben qué decía el graffiti?: Los Niños Sabios. Al terminar se treparon a una trafic que los esperaba a pocos metros. La trafic los recogió y se deslizó suavemente por avenida Libertador, hacia el bar. Los Bang Bang se levantaron de un salto y subieron a ella. La trafic arrancó en dirección a Núñez como llevada por el diablo.

¿Saben quién conducía? La Chica. La Chica lleva una cicatriz con tres puntos en la frente. Tiene 18 años de edad y la trafic es propiedad del jardín de infantes que contrata a su mamá (la mamá de La Chica trabaja llevando y trayendo del jardín de infantes a un batallón de escolares). La Chica es la líder de Los Niños Sabios. Tiene el cabello de un color castaño claro y los ojos oscuros más brillantes que imaginen. Es muy seria y callada y se viste con un saco azul de colegial, raído y enorme.

A ella se le ocurrió fundar el grupo Los Niños Sabios después de la Navidad de 1990, cuando el mejor amigo de su hermano se descerrajó un tiro en la sien que lo mandó al otro mundo. El mejor amigo de su hermano se llamaba Cerebrito Sangriento y era también su mejor amigo. En verdad, ella estaba enamorada de él desde que era una niña, desde el día en que Cerebrito y su hermano, el Viejo Tigre, representaron una obra de terror con efectos especiales que terminó con un dardo clavado en su frente, por error. Era un duelo de muertos vivos. Esa vez Cerebrito acarició sus manos mientras el cirujano la cosía, y siguió acariciando su cara y sus labios hasta que la chica se durmió. Años más tarde, después que el Viejo Tigre se fue a España a tocar el bajo en un grupo de música y Cerebrito empezó a entristecer, ella robaba comida de su casa familiar y se la llevaba al chico a la pensión de mala muerte en la que vivía. Se quedaban juntos, conversando, durante muchísimas horas. Un día ella llegó a la pensión y no lo encontró. Pero él había dejado algo para ella: un saco azul marino, de franela, con botones castaños, y una casete con su música. La casete decía: Los Niños Sabios. Cerebrito se había suicidado.

Desde que su hermano estaba en España, La Chica vivía sola con su mamá. El papá brillaba por su ausencia. La biografía de La Chica y su familia es más o menos así:

desde que ella llegó al mundo vivieron en dieciséis casas distintas. Al cumplir dos años de edad los echaron del departamento en que vivían por no pagar el alquiler. Entonces se mudaron a un hotel. Pero de allí volvieron a mudarse cuando la mamá consiguió un trabajo como encuestadora en el que ganaba bastante dinero. Alquilaron un departamento en la calle Santiago del Estero. La mamá lo pintó de color celeste y colgó en las paredes unas viejas reproducciones de Picasso con la ilusión de construir allí un hogar. Pero las dificultades sobrevinieron poquísimo después, cuando las encuestas se terminaron y ya no pudieron seguir pagando el alquiler. Se mudaron a una pensión de mala catadura de la zona de Palermo. Dos cuartos. Cuando la mamá empezó a trabajar como vendedora de una inmobiliaria, les prestaron una casita de altos en la barriada de Almagro. Otra vez a pintar y a colgar los cuadros. Por un imprevisto tuvieron que devolverla tres meses más tarde. Alquilaron otro departamento, pero en la inmobiliaria las ventas no iban muy bien y tuvieron que dejarlo. Volvieron a un hotel. ¿Me siguen? Cuenten hasta dieciséis.

Mientras recorría tantos colegios como dedos tiene en las manos, la Chica hizo unas cuantas cosas. Despachó papas fritas en Pumper Nic, mecanografió decenas de cartas-documento en un estudio de abogacía, cuidó bebés, paseó dos perros mellizos, dálmata, de pésimo carácter, y leyó poesías a una anciana no vidente. Alfonsina Storni.

Las vicisitudes cesaron cuando la mamá empezó a trabajar en el jardín de infantes, dos años antes de los atentados. Le dieron la trafic para trasladar a los escolares y llegó la estabilidad y la paz a la familia. Se mudaron al departamento de la calle Solís. Solís al 600, una pajarera para veinte familias por piso y tres ambientes diminutos. Pero el Viejo Tigre ya no vivía en Buenos Aires y La Chica se ganó un cuarto propio.

La noche del concierto la trafic surcó la avenida Libertador a las nueve de la noche. Llegó a Núñez minutos después y estacionó frente a la puerta de un laboratorio. Allá adentro estaba el Chico Aguja con dos chicos más, intentando tomar en sus brazos a cinco monitos, un chimpancé y cuatro ratitas que dormían. Cuando entraron los demás Niños comenzaron las complicaciones. Algunos de los animales despertaron: uno de los monos escapó y las ratitas se movían nerviosamente. La Chica tomó al chimpancé en sus brazos y los demás se ocuparon del resto. El mono que escapó quedó en el laboratorio, pero los demás huyeron en la trafic, con los Niños, que cuando pasaban Belgrano echaron en la cuenta que habían olvidado hacer graffitis.

Decidieron que los Bang Bang se llevaran un monito, el Chico Aguja otro y los dos restantes quedaran en manos de González y su novia. Las ratitas se las llevaron los más pequeños. La Chica se llevó al chimpancé. Antes, en la trafic, juraron protegerlos siempre.

—Los encadenan, les atraviesan el cerebro con láminas de metal. Tienen diarrea todo el tiempo. Los dejan así durante días, con las patas temblando; se mueren entre sufrimientos horrorosos —había dicho La Chica a los Niños una noche de reunión, en el puerto, cuando decidieron el operativo.

Una semana después del secuestro La Chica compartía su cuarto de cuatro metros por tres con el chimpancé y dos monos (la mamá de González y la mamá de su novia echaron a los animales de sus hogares; así llegaron los nuevos huéspedes al cuarto de nuestra heroína). El cuarto hedía a diablos. La mamá de La Chica ignoraba el origen de los animales, pero le dio un ultimátum a su hija luego de varios días de hospedaje.

—O los sacás vos o los saco yo —le dijo. La Chica la miró con toda la ira que podía albergar su corazón. Dio un portazo y se encerró en el pequeño cuarto. Un monito abrazaba su cuello.

Esa noche fue a la funeraria en la trafic, con los tres animales. La esperaban los Bang Bang.

—Acepto sólo un mono. El resto del zoológico se lo llevan dentro de una semana, cuando encuentren otro lugar —refunfuñó el tío de los Bang Bang.

Pasó una semana, y pasaron dos y seis, y los animalitos no se movieron de allí. Entre los ataúdes y el perfume a formol la pasaban realmente bien. La Chica les llevaba carne y bananas todos los días, al atardecer, cuando se celebraban las reuniones secretas en las que los Niños planeaban los próximos atentados.

LA GRAN NOCHE
DE EL DORADO

A Gustavo

Quiero contarles la verdadera historia de la fiesta de inauguración de El Dorado. Fue todo tan intenso en esa primera noche, el desenfreno, el vértigo, que todavía, mucho después de aquel 10 de septiembre de 1991, me sigo preguntando cómo irán a seguir las cosas en los días venideros. Antes que nada deben saber que es un embuste, como se dijo, que alguien haya colocado alguna sustancia en la bebida, un simple ponche cuya única cualidad significativa residía en su cantidad: ese martes caluroso y húmedo navegaron cuatrocientos litros desde las ocho de la noche hasta las cuatro de la madrugada.

Hacia las once de la noche, la calle Hipólito Yrigoyen explotaba. La esquina con Bernardo de Irigoyen era un atolladero de automóviles. Adentro del lugar transcurría Las mil y una noches. Pero si me permiten, empiezo por el final: en la cocina más grande y extraña que hayan visto, figúrense una bañadera, un techo empapelado con fotos de moda y una guarda de leones ingleses dorados sobre fondo rojo. En el salón principal, seis arañas de cristal pendiendo del cielo raso y varios frescos con flores, arabescos y lunares. Espejos biselados, cortinados de terciopelo raído y pisos con dibujos medievales. Un piano de cola, sillones de pana de color rojo y un escenario. Quería hablarles de esa tarima. A medianoche, era un espiral al infierno.

—Esto es el espíritu mismo de la perversión, mi amor —le oí decir a un escritor que bailaba en la tarima con setenta y ocho personas más.

—Efervescencia pura —susurró Susú Pecoraro, estirando su cuello de cisne por sobre las bocanadas de calor, más y más asfixiantes según avanzaba la noche.

—Este lugar parece la película El cocinero, el ladrón, su mujer y su amante —le dijo el estilista Eric Charretier a Katia Alemann, en la puerta. La puerta era un padrillo con cara de pocos amigos y músculos de hierro que apartaba sin sentimentalismos a casi toda la multitud que pugnaba por entrar. Desde la vereda de enfrente un grupo aplaudía a quienes lo lograban.

—Sólo entran vestidos largos y fracs —era la consigna que impartía un chico-chica (era un muchacho, en rigor) encasquetado en un sombrero de perlas que rozaba sus hombros desnudos. Junto a él, el padrillo Pocoseso.

Creo que la leyenda del ponche empezó cuando alguien dijo:

—Beban, beban, que a este ponche le pusieron un elixir.

Un chico con un penacho de plumas de corista del Colón encaramado en su cabeza bailaba con una mujer ataviada con un vestido estampado con cubos negros, largo hasta el piso. Sobre el sillón rojo, una muchacha se rendía ante un dandy de cabellos rubio oscuro y mirada de fuego que besaba suavemente su cuello. Créanme, aquello era un festín. Cerca de ellos, un jarrón iluminado, calas mirando al cielo y el concejal Facundo Suárez Lastra que entraba a la cocina:

—¡Qué linda! —exclamó.

—¿Yo? —le disparó una chica.

—La cocina —sonrió él—. Es clásica y moderna.

En los lavabos grecorromanos una chica estampaba sus cinco dedos en la mejilla de otra. En la puerta, un joven que respondía al nombre de Sir James tomaba una copa, envuelto en gasas. Unas gafas oscuras ocultaban su cutis pálido y delgado y una boa de chinchillas le envolvía la corta melena del color del azabache.

—Este muchacho parece Audrey Herpburn después de haber sido asaltada en Siria —burbujeó un escritor de telenovelas venezolano—. Estos chicos divinos son una comuna social pervertida y pervertidora. Pero no me gusta el underground. Es preferible ponerte la corbata y vomitarte encima de la gente que vomitarte encima de la gente sin tener una corbata puesta.

Tal vez fue entonces, o tal vez unas horas antes o unos días después. ¿Alguien lo recuerda? Unos diez o quince automóviles de custodia rodearon Hipólito Yrigoyen hacia el norte y hacia el sur. El ministro del Interior José Luis Manzano entró a El Dorado. A su lado, Mauricio Macri, Francisco Macri, Susana Giménez, Teté Coustarot. La comitiva festejaba el onomástico de Patricia Bordeu con una cena. El menú: moñitos al aceite. El postre: queso y dulce. Los mozos: Sir James y Batato Barea.

—¡Qué divina tu peluca! —exclamó Susana Giménez al ver a James—. ¿Donde la compraste?

—En un cottolengo. Como todo lo que ves acá —fue la respuesta. Susana Giménez asintió.

—¿Quién te la peina?

—Yo.

—Te mando mi peinador el lunes —le dijo ella.

De improviso, entró Ante Garmaz al salón principal.

—Sos el rey total —le soltó un joven de cabellos rapados y vestido de sirena—. Sos lo más grande que se ha creado en la tierra.

Míster Garmaz sonrió. Les voy a contar cómo aterrizó el gentleman de la elegancia en El Dorado. Unas tardes antes de la inauguración, uno de los inspiradores del lugar se lo topó en la calle y corrió tras él:

—Por favor, venga a la inauguración del mejor bar de la Argentina. Usted es nuestro Dios. —El muchacho llevaba una chaqueta amarilla y negra y unos bellos zapatos de colores. El modisto de cabellos plateados le preguntó:

—¿Pero de dónde saliste? ¿De qué mundo sos?

—Venga el martes por la noche y va a conocer ese mundo.

Vaya si lo conoció. A las dos de la mañana, el diseñador Sergio De Loof, uno de los dueños, fue retirado de la tarima del infierno a rastras entre otros dos, desmayado. Y esto nos conduce a los acontecimientos que se sucedían bajo la tarima, allá abajo, en el pantano.

—El ponche no tiene ningún elixir. Es vodka y champaña. Yo tomé diez vasos y aquí estoy, todavía vivo —botarateaba el líder de un grupo de rock. Una modelo lo tenía arrinconado contra una pared. A su lado, la heroína de la telenovela La dama de rosa se arrojó sobre su guionista, el joven escritor venezolano:

—¿Por qué me haces tan malvada en la telenovela?

—Pero chica, tú no eres una malvada —respondió

él—. Eres una mujer que lucha denodadamente por un amor y que hace cosas increíbles por él.

Un galán de la misma telenovela vio a Audrey Herpburn y resopló:

—Acá nos van a poner presos a todos. —Y se mandó mudar. Ya eran las cuatro de la mañana.

En el salón principal, el mucamo de la heroína malvada hizo un strip tease encaramado sobre el piano. El enjuto muchacho se había clavado un par de tequilas y allí estaba, trastabillando sobre el piano e intentando contonear sus frágiles huesos mientras un minúsculo slip rojo se enredaba en sus rodillas. Un corrillo de entusistas espectadores lo aplaudía. Alguien aullaba *Acércate más.*

Al caer la última prenda al suelo, la estrella del muchacho se apagó. Su momento había pasado. Cuando se inclinó para subirse trabajosamente los pantalones sus admiradores ya le daban la espalda, buscando un nuevo bocado donde clavar sus colmillos.

Mientras esto ocurría en el sector del piano, sobre la tarima alguien procuraba lamer el lóbulo derecho de Juan Cruz Bordeu.

—Lo peor de todo esto es que aquí todo el mundo está dispuesto a lo que sea —le decía un director de cine al guapo escritor Alan Pauls.

—Te traje un filósofo español, pero se me perdió en la tarima— barruntaba el director del Instituto de Cooperación Iberoamericana a una linda modelo.

Nunca supe si el filósofo salió con vida, o qué. Yo sólo les conté lo que vi. Y si me permiten, termino por el principio: me pregunto cómo van a seguir las cosas en los días venideros.

EL PLANETARIO

Sí, yo soy la única sobreviviente de la catástrofe del Planetario. Por eso, y en homenaje a los amigos que quedaron allá, es mi deber contarles desapasionadamente cómo se precipitaron los sucesos. Antes que nada debo aclararles que con mis propios ojos no reconocí oficialmente ningún cadáver. Al respecto, sólo vi las listas que reprodujeron los periódicos. Por lo demás, el humo demasiado espeso y la música de Melero que seguía sonando entre los escombros malograron mi cerebro de tal modo que recién varias horas después tomé conciencia de lo que había sucedido.

Pero vean cómo se desarrolló la tragedia. El 23 de noviembre de 1991, a las siete de la tarde, estaba anunciado el espectáculo Ficción-Disco organizado por el Goethe Institut en el Planetario. Primero se realizó el concierto del joven alemán Hans Werner Freiherr von Brachwitz. Me habían dicho que el muchacho solía leer en sus instalaciones la guía telefónica o el texto de un diccionario. Pero no pude escuchar su música cibernética. Llegué tarde, cuando unas gotas de lluvia humedecían el prado y las nubes grises se deslizaban lentamente por el cielo. Adentro de la cúpula de estrellas, con la sala colmada de personas, comenzaba el segundo concierto de la tarde.

El segundo concierto era el de Daniel Melero. No puedo hablar de ello, sólo que las falsas constelaciones (eran más verdaderas que las reales, en serio) y la música, que se llamaba *Encarnación, Zona M2 y Refugio,* eran el éxtasis. El primer tema sonando en la oscuridad llevaba la tensión dramática de los clásicos. Hubo también canciones de Cerati-Melero, como *Pequeñas criaturas amistosas,* y hubo estrellas fugaces, planetas errantes y lágrimas.

Imaginen el intérvalo del concierto, cuando bajo el alero de la cúpula los espectadores contemplaban la lluvia, que se había desencadenado con ferocidad en la oscuridad de la noche. Allí podían ver a Gustavo Cerati junto a Daniel Melero, a Omar Chabán envainado en un bello smoking blanco, a la directora teatral Vivi Tellas, a un poeta besando con frenesí a su amante, a Fabi Cantilo saludando a un joven, a Richard Coleman susurrando una canción a una chica. También vi a un chico recién llegado de Madrid. Era albino. Sus amigos lo llamaban Viejo Tigre Que Duerme.

—Esta situación es increíble —dijo alguien—. Acá estamos todos detenidos por la lluvia: los amantes, los ex amantes, los hombres a quienes amas y las mujeres que te odian. Todos juntos. Y en el planetario.

Momentos después, ya en la sala, se detenía mi aliento bajo la música de *La forma del deseo* mientras las estrellas fugaces se arrojaban sobre mi corazón. Creo que los doscientos o trescientos que se estremecían bajo el cielo eléctrico sentían lo mismo que yo. Bueno, y aquí viene lo que quería contarles, porque en ese preciso instante se escuchó la primera explosión. Fue entonces cuando el

Planetario voló por el aire. El resto ya lo leyeron en los periódicos. En los parlantes una voz comenzó a describir las sangrientas técnicas de preparación de las hamburguesas y las vísceras de mis amigos se estamparon contra las estrellas.

Pude ver el antebrazo de alguien incrustado contra un meteorito. Y también los legendarios ojos azules de Gustavo Cerati deslizarse tristemente entre los vidrios de la cúpula. Vi el cuerpo calcinado de Daniel Melero —no saben lo lindo que estaba esa noche el muchacho— tirado sobre el césped. Omar Chabán y su smoking blanco. Qué lástima, amigos. El smoking era un guiñapo, y Chabán también. Cuesta decirlo, pero de Vivi Tellas sólo pude encontrar unos diminutos lentes de marco negro hechos añicos sobre un asiento. Fabi y sus lindas piernas. Justamente esa noche la chica se había enfundado en un vestidito rojo que le calzaba de maravillas. El vestidito flameaba entre los escombros, y los restos de Fabi sobre una ventana que miraba a los bosques, allá en lo alto. Los amantes fueron hallados en el lavabo. Sus cuerpos chamuscados se veían en un estado deplorable. El cadáver del Viejo Tigre había quedado abrazado a la consola de sonido. Cuando lo vi, sus ojos aún estaban abiertos de asombro.

¿Saben? Mientras recorría los escombros vi sobrevolar los panfletos de una organización que lucha por los derechos de los infortunados del mundo y contra el envenenamiento del planeta. Entonces comprendí que las muertes habían sucedido por error. La organización que se adjudicaba el atentado se llamaba Los Niños Sabios.

El lugar estaba desierto. Yo caminaba en la penumbra silenciosamente. El ala norte del Planetario estaba en llamas y en el aire tembloroso y caliente aún podía oírse la última canción.

ÍNDICE

La historia más triste.. 11
El frenesí... 17
Extramuros.. 27
Chicos con problemas 35
El Ángel Triple 7.. 43
El frenesí II 53
Los primeros atentados..................................... 59
Niños ricos.. 65
González 75
El frenesí III 83
Historias tristes... 93
La Gran Marcova... 101
Los Bang Bang.. 109
La chica mala 115
El frenesí IV 125
El Chico Aguja 133
El joven de los nueve psicoanalistas 139
El frenesí V 147
Cita en el Shopping Center 155
Los hermanos Arizona....................................... 161
Los Niños Sabios 169
La gran noche de El Dorado 177
El Planetario 185

Esta edición de 3.000 ejemplares
se terminó de imprimir en
Kalifón S.A.,
Humboldt 66, Ramos Mejía, Bs. As.,
en el mes de febrero de 1998.